Petits *Classiq*

LAROUSSE

Collection fondée par Félix Guirand,
Agrégé des Lettres

W9-AXL-126

Le Horla

et autres contes fantastiques

Guy de Maupassant

Édition présentée,
annotée et commentée
par Dominique TROUVÉ,
agrégée de lettres modernes

ISBN : 978-2-03-583919-0

SOMMAIRE

Avant d'aborder l'œuvre

Le Horla et autres contes fantastiques

Guy de Maupassant

98   Avez-vous bien lu ?

Pour approfondir

AVANT D'ABORDER L'ŒUVRE

Fiche d'identité de l'auteur

Maupassant

Nom : Guy de Maupassant.

Naissance : 5 août 1850.

Famille : son père, Gustave de Maupassant, a laissé l'image négative d'un homme superficiel, infidèle et violent. Sa mère est la fille d'un filateur normand ; elle est cultivée, amie d'enfance de Flaubert. Ses parents se séparent quand il a douze ans.

Enfance : en Normandie ; il parle le patois avec les jeunes paysans de la région. Il fait ses études au lycée de Rouen et devient un ami de Flaubert. Il ne peut poursuivre ses études après le bac car la guerre de 1870 a ruiné sa famille.

Profession : il travaille comme employé dans différents ministères. À trente ans, il devient journaliste et publie ses récits dans différents journaux (*Le Gaulois, Le Figaro*).

Amours : célibataire endurci, c'est un don Juan qui va de conquête en conquête. Il rêve d'une femme idéale, sans la trouver. Il est toujours resté très attaché à sa mère.

Carrière : il publie sa première nouvelle à vingt-cinq ans, « La Main d'écorché ». « Boule de suif », « un chef-d'œuvre » selon Flaubert (dont le jugement est pourtant toujours sévère), est son premier succès. Entre trente et quarante ans, il publie trois cents contes dont « Le Horla » en 1887 ainsi que six romans, dont *Pierre et Jean*, en 1888.

Maladie : à vingt-huit ans, il ressent les premiers troubles de la syphilis, maladie incurable à cette époque. À partir de quarante ans, sa santé se détériore sérieusement. Il souffre de migraines, de crises d'angoisse, d'hallucinations, premiers symptômes d'une maladie mentale à laquelle le prédisposent ses antécédents familiaux : son frère est mort fou. Il fait une tentative de suicide en 1892.

Mort : Guy de Maupassant meurt fou en juillet 1893, à quarante-trois ans à peine, interné dans la clinique du docteur Blanche, un psychiatre célèbre.

Pour ou contre Maupassant ?

Pour

Antonia FONYI

« [...] l'œuvre de Maupassant est d'actualité. Elle a la vertu de mettre l'angoisse à la portée de tous. Davantage, de la transformer en plaisir à la portée de tous. »

Introduction à Maupassant, *Le Horla et autres contes d'angoisse*. GF Flammarion, 2006.

Gustave LANSON

« Maupassant se mit à écrire des nouvelles et des romans remarquables par la précision de l'observation et par la simplicité vigoureuse du style. »

Histoire de la littérature française, 1951.

Contre

Louis-Ferdinand CÉLINE

« Tout doit nous éloigner de Maupassant. La route qu'il suivait, comme tous les naturalistes, mène à la mécanique, aux usines Ford, au cinéma – Fausse route ! »

Céline, 1938. Cité dans *Pour et contre Maupassant : enquête internationale, 147 témoignages inédits,* Nizet, 1955.

Dominique FERNANDEZ

« On trouve que, dans ses contes, écrits à toute vitesse pour les journaux, il n'a ni l'art de Flaubert, ni le mystère de Tchekhov, ni même le coup de poing de Hemingway. »

Préface de Maupassant, *Miss Harriet,* Folio, 1978.

Repères chronologiques

Vie et œuvre de Maupassant	Événements politiques et culturels
1850 Naissance de Guy de Maupassant à Fécamp le 5 août.	**1851** Coup d'État de Louis Napoléon Bonaparte le 2 décembre.
1856 Naissance d'Hervé, frère de Guy.	**1852** Le second Empire est instauré (Napoléon III).
1860 Séparation des parents de Maupassant.	**1856** Victor Hugo, *Les Contemplations*.
1863 Jusqu'en 1867, études à l'institution ecclésiastique d'Yvetot de la 6e à la 2e.	**1857** Flaubert, *Madame Bovary*. Baudelaire, *Les Fleurs du Mal*. Un procès est intenté aux deux auteurs pour leurs ouvrages par le gouvernement impérial. On prononce le mot « réalisme ».
1868 Interne au lycée de Rouen.	
1869 Bachelier.	**1865** Droit de grève. Pasteur travaille sur l'asepsie. Claude Bernard, *Introduction à la médecine expérimentale*.
1870 Mobilisé pour la guerre. Il est profondément patriote.	**1868** Zola emploie le mot « naturalisme » dans la seconde édition de *Thérèse Raquin*.
1871 Il entre au ministère de la Marine.	
1872 Parties de canotage sur la Seine.	**1870** **Guerre entre la France et la Prusse. Napoléon III est fait prisonnier à Sedan. Fin du second Empire. La République est proclamée.**
1875 Publication de « La Main d'écorché ». Fréquente Mallarmé, Tourgueniev et Zola.	
1877 Participe au dîner de fondation du naturalisme avec Flaubert et Zola.	**1871** Commune de Paris, insurrection populaire violemment réprimée. Thiers devient président de la République.
1878 Il entre au ministère de l'Instruction publique. **Premiers signes de maladie.**	**1875** Constitution de la IIIe République. Bizet, *Carmen*.
1880 *Boule de suif* paraît dans le recueil *Les Soirées de Médan*.	

Vie et œuvre de Maupassant

1881-1884
Publications de recueils de contes :
La Maison Tellier, Mademoiselle Fifi.
**Publication de plusieurs contes
fantastiques : « Un fou ? »,
« La Chevelure » et du
roman *Une vie* ; il s'intéresse
à la psychiatrie et suit les cours
du professeur Charcot.**

1885-1888
Publication des romans *Bel-Ami*
(1885) et *Pierre et Jean* (1888) ;
recueils de nouvelles : *Toine,
Contes du jour et de la nuit* (1885) ;
il écrit « Lettre d'un fou » (1885),
une première version du « Horla »
en 1886, puis une deuxième en
1887, ainsi que « La Nuit ».

1889-1890
**Mort de son frère à l'hôpital
psychiatrique.**

1891-1892
La santé de Maupassant
se détériore.
Publication des contes du recueil
La Main gauche.
Maupassant souffre de nombreux
troubles physiques et psychiques.
Traitements inefficaces. Tentative
de suicide en 1892. Il est
interné dans la maison de santé
du docteur Blanche.

1893
**Mort de Maupassant.
Inhumation au cimetière
du Montparnasse.**

Événements politiques et culturels

Jules Ferry rend l'école laïque,
gratuite et obligatoire.

1880
Mort de Flaubert.
Lois scolaires de Jules Ferry.

1881
Loi sur la liberté de la presse.

1882
Koch découvre le bacille
de la tuberculose. Charcot
commence ses cours à la Salpêtrière.

1885
Mort de Victor Hugo.
Zola, *Germinal*.

1886
Rimbaud, *Illuminations*.
Mallarmé, *Poésies*.

1888-1889
Nouvelle période de crise
politique (agitation boulangiste).

1889
Exposition universelle à Paris ;
érection de la tour Eiffel.

1890
Van Gogh, *Le Champ de blé
aux corbeaux*.
Degas, *Danseuses bleues*.

1891
Enquête de Jules Huret
sur les écoles littéraires à la mode.
Paul Alexis envoie le télégramme :
« Naturalisme pas mort. Lettre
suit ». Léon Bloy parle quant à lui
des « funérailles du naturalisme ».

1892
Jules Verne, *Le Château
des Carpates*.
Zola, *La Débâcle*.

Fiche d'identité de l'œuvre

Le Horla et autres contes fantastiques

Auteur : Maupassant. Il est journaliste. Il a entre trente-deux et trente-sept ans. Il suit quelque temps les leçons du professeur Charcot sur l'hystérie et la neurasthénie. Il souffre des premiers symptômes du mal qui le mènera à la folie.

Genre : récits fantastiques parus entre 1882 et 1887.

Forme : apparence de journal intime (« Le Horla »), d'autobiographie (« La Chevelure ») ; lettre, récit oral (« Un fou ? », « Conte de Noël ») ; cauchemar (« La Nuit »).

Structure : comptes rendus discontinus de journées et de nuits (« Le Horla ») ; récit encadrant et récit encadré (« Conte de Noël », « La Chevelure »). Récit rétrospectif encadré par un récit au présent (« Lettre d'un fou »).

Principaux personnages : le narrateur, soumis à des angoisses qui le conduisent à la folie, raconte une expérience étrange (« Le Horla », « Lettre d'un fou »). Le Horla, un être invisible. Une morte qui semble revivre (« La Chevelure »), une femme possédée (« Conte de Noël »). Un homme doué de pouvoirs magnétiques (« Un fou ? »).

Sujets :
« Le Horla » : un homme qui tient un journal se sent harcelé par un être invisible. Malgré les tentatives d'explications raisonnables, l'angoisse devient insupportable.
« Lettre d'un fou » : un homme en proie à des hallucinations écrit à son médecin.
« Conte de Noël » : une femme devient possédée après avoir mangé un œuf.
« La Chevelure » : un homme tombe éperdument amoureux d'une chevelure de femme découverte dans un meuble ancien.
« Un fou ? » : à l'annonce du décès d'un de ses amis mort fou, le narrateur se souvient d'une soirée inquiétante passée avec lui.
« La Nuit » : le narrateur qui aime à se promener dans le Paris s'y perd au cours d'une nuit sans fin.

Pour ou contre

Le Horla et autres contes fantastiques ?

Pour

Pierre-Georges CASTEX

« Une fois entré dans le jeu, le lecteur se laisse gagner, lui aussi, par la vertu d'une démonstration irrésistible qui devance les objections de l'esprit critique et balaie les préventions du sens commun. »

Le Conte fantastique en France, 1951.

Joël MALRIEU

« *Le Horla* représente l'une des recherches les plus subtiles et les plus abouties qui aient été faites à partir des éléments constitutifs du récit fantastique. »

Joël Malrieu commente « Le Horla » de Maupassant, Gallimard, collection « Foliothèque ».

Contre

Charles LAPIERRE

« On dirait que « Le Horla » est écrit par un pensionnaire de la maison du docteur Blanche*. »

Cité par Albert Lumbruso, *Souvenirs sur Maupassant*, Slatkine, 1981.

* : le docteur Blanche dirige une clinique psychiatrique à Paris au temps de Maupassant.

Pour mieux lire l'œuvre

❖ Au temps de Maupassant

Un siècle positiviste ?

La seconde moitié du XIXᵉ siècle est marquée par une deuxième révolution industrielle et scientifique. De nombreuses découvertes fascinent les contemporains d'autant plus que leur fonctionnement demeure incompréhensible pour beaucoup. La « Lettre d'un fou » fait allusion au mystère de l'électricité par exemple. D'autres technologies étonnent encore comme le moteur à explosion ou le chemin de fer.

Une nouvelle vision de l'homme apparaît parallèlement. La théorie de Darwin a été traduite en 1862 et commence à se répandre. L'être humain, de par son origine animale et son appartenance à l'évolution générale, n'est plus la créature exceptionnelle de la Genèse. On s'intéresse d'autre part de plus en plus à l'aspect psychique de l'homme et en particulier à la folie et à ses thérapies. Le professeur Charcot, médecin à l'hospice de la Salpêtrière, vulgarise ses recherches sur l'hystérie et l'hypnotisme lors de ses leçons du mardi. Maupassant y assiste régulièrement ainsi qu'un certain Freud pendant l'année 1885. Le magnétisme et l'hypnotisme connaissent un véritable engouement et pas seulement dans le milieu médical, comme le montre la scène où le docteur Parent endort Mme Sablé dans un salon et la fait agir contre sa volonté.

Enfin, les scientifiques observent l'espace de plus près. L'astronome italien Schiaparelli (1835-1910) découvre l'existence de « canaux » sur Mars qu'il suppose construits par des êtres intelligents. Camille Flammarion dans *La Pluralité des mondes habités* (1862) expose sa théorie sur un univers peuplé : les habitants de Saturne seraient transparents et ceux de Mars ailés. Le narrateur du « Horla » explique de cette manière la présence de l'être invisible qui l'obsède et veut envahir notre monde.

Le réalisme et le naturalisme

Réalisme et naturalisme sont deux courants littéraires et artistiques qui recouvrent les œuvres des écrivains et des peintres des années 1840 à 1902 (date de la mort de Zola). Ces deux courants sont assez proches comme on peut le concevoir si on observe les racines des mots : « réel » et « nature ». Il s'agit donc d'artistes qui s'efforcent de représenter la réalité ou la nature telle qu'elle est, sans la déformer. Cet objectif qui peut nous paraître peu révolutionnaire a pourtant fait scandale. Quand Courbet en 1850 a peint dans un grand tableau intitulé *Enterrement à Ornans* des paysans, un curé, et ses assistants au nez rougi, autour d'une tombe ouverte, la critique outrée a parlé d'une « croûte ». Cette étiquette « réaliste » est donnée entre autres à Flaubert, le maître admiré de Maupassant et aux frères Goncourt, mais aussi à Balzac qui leur est pourtant antérieur. Ces écrivains ont l'habitude de mener un travail de recherche de documentation pour donner un sentiment de vraisemblance à leurs ouvrages qui révèlent une observation attentive de la société et des hommes.

Zola impose le terme « naturalisme » en 1880 avec *le Roman expérimental*, texte fondateur du mouvement. Comme ce titre le laisse entendre, l'écrivain naturaliste cherche à s'appuyer sur des bases scientifiques. Ainsi dans les vingt romans des *Rougon-Macquart*, publiés entre 1870 et 1883, Zola étudie l'influence de l'hérédité et du milieu social sur les membres d'une même famille. Maupassant est habituellement considéré comme un écrivain naturaliste. Il peint en effet des milieux divers, celui des paysans normands qui parlent le patois (« Conte de Noël »), comme les classes aisées dont sont issus les personnages du « Horla » ou celui de « La Chevelure ». Mais derrière cette observation réaliste, il cherche une vérité cachée : des terreurs superstitieuses émergent chez des villageois attachés à leur terre, ou la folie dans l'esprit d'un homme apparemment sain. C'est dans ces failles que se glisse le fantastique.

Pour mieux lire l'œuvre

Le genre : le conte, la nouvelle

Maupassant écrit-il des contes ou des nouvelles ? Il a publié sous le titre *Contes du jour et de la nuit* un recueil de textes en 1885, et en 1882 le « Conte de Noël ». Mais on considère habituellement « Le Horla » comme une nouvelle. Au XIXᵉ siècle, il semble que les deux termes soient équivalents. Cependant le mot « nouvelle » est lié à l'idée de nouveauté, d'actualité. On dit encore « écouter les nouvelles » pour « écouter les informations ». On sait que Maupassant, journaliste lui-même, a publié ses textes dans des périodiques : le récit « La Chevelure » est paru dans le *Gil Blas* du 13 mai 1884. L'écrivain situe par ailleurs ses histoires dans l'actualité du XIXᵉ siècle. Le terme de « conte » d'autre part évoque encore implicitement un récit merveilleux, invraisemblable. On peut comprendre de cette façon le « Conte de Noël », mais ce n'est pas toujours le cas. En revanche, le conte garde aussi une connotation orale. C'est intéressant pour Maupassant car ses récits sont souvent pris en charge par un narrateur personnage comme le docteur Bonenfant dans le « Conte de Noël ».

Le conte et la nouvelle ont un premier point commun : la brièveté. Il s'agit dans les deux cas de récits courts, mettant en scène par conséquent peu de personnages, s'inscrivant dans un cadre spatio-temporel restreint et développant une action simple. Ainsi deux personnages seulement évoluent dans « Le Horla », la « Lettre d'un fou » ou « La Chevelure » et l'un d'eux est la création inconsistante d'un esprit malade. Par ailleurs, l'histoire du « Horla » se déroule en quatre mois dans une propriété normande, « Un fou ? » est le récit d'une soirée passée dans la maison du narrateur. Un deuxième point commun caractérise le conte et la nouvelle : toute l'action tend vers un dénouement propre à étonner le lecteur. On peut dire que la nouvelle se construit à partir de la fin. Le fil narratif en est serré et efficace.

🐘 *L'essentiel*

Écrivain naturaliste, Maupassant s'attache à peindre des personnages issus de classes sociales diverses. Comme ses contemporains, il est fasciné par les recherches sur la folie et ses thérapies. Ainsi il analyse avec un souci de vérité les psychologies fragiles de ses héros. La brièveté de la nouvelle lui permet de mettre l'accent sur l'essentiel : les failles par où pénètre l'irrationnel.

✛ L'œuvre aujourd'hui

Le thème de la folie à l'époque de Maupassant

Les personnages des contes de Maupassant à première vue semblent évoluer dans un monde dépassé. En effet, les paysans d'aujourd'hui ne parlent pas comme ceux du « Conte de Noël » et leurs superstitions nous paraissent ridicules. Les héros du « Horla » ou de « La Chevelure » vivent dans une riche oisiveté d'un autre âge. Paris enfin a bien changé, on n'y voit plus de fiacres ni de becs de gaz ! Les lieux et les modes de vie évoqués sont ancrés dans un XIXᵉ siècle étranger au lecteur moderne. Pourtant, les récits de Maupassant nous parlent encore à plus d'un titre.

Le personnage même de l'auteur, tout d'abord, nous intéresse, par l'incertitude qui plane sur lui. Qui est-il pour parler de la folie avec une telle exactitude, une telle vérité ? On sait qu'il est mort interné dans une maison de santé rongé par une maladie mentale. Était-il déjà fou quand il a écrit « Le Horla », « Lettre d'un fou », « Un fou ? » ? L'écrivain s'attendait sans doute à la question puisqu'il communiqua cette information à son valet : « J'ai envoyé aujourd'hui à Paris le manuscrit du "Horla" ; avant huit jours, vous verrez que tous les journaux publieront que je suis fou. » La presse ne manquera pas en effet d'affirmer que sa folie remonte à cette époque. Le lendemain du jour où il a été interné, le 17 janvier 1892, on peut lire dans *L'Écho*

Pour mieux lire l'œuvre

de Paris : « Quand il publia "Le Horla", [...] les médecins y virent le pronostic certain de sa future aliénation mentale. » Il est vraisemblable pourtant que Maupassant jouit au moment où il écrit ses contes de toute sa raison. La structure élaborée de ses récits, son style parfait en sont les preuves. La folie, cependant, l'inquiète et le fascine en même temps, dès cette époque, et certains symptômes commencent à apparaître qu'il essaie peut-être d'exorciser par l'écriture. Quoi qu'il en soit, la polémique demeure et ce qu'on a appelé « la légende du conteur fou », interroge encore les lecteurs d'aujourd'hui.

Actualité du thème de la folie

La folie est donc le thème central de ces nouvelles de Maupassant. Ce thème intéresse toujours aujourd'hui les lecteurs et peut-être plus encore qu'au XIXe siècle. En effet la psychanalyse qui s'est développée avec Freud, élève de Charcot, est désormais largement vulgarisée et d'autres psychanalystes se sont appliqués à découvrir les ressorts des troubles psychiques. Forte de ces connaissances nouvelles, la critique ne s'est d'ailleurs pas privée de faire une étude psychanalytique des textes de Maupassant. On a vu en effet un parfait exemple de lapsus quand le héros du « Horla » crie à son cocher « À la maison » alors qu'il voulait dire « À la gare ! ». La présence invisible qui hante le héros a été considérée aussi comme l'émergence de son inconscient.

Par ailleurs, les personnages des fous de Maupassant présentent une caractéristique étonnante : ils paraissent doués d'une parfaite lucidité. Ils argumentent, raisonnent, expérimentent. Ils semblent raisonnables au lecteur, qui est mis dans la peau du fou, grâce au choix du point de vue interne adopté par le narrateur. On a ce même point de vue dans le film *Un homme d'exception* qui retrace la vie réelle de John Forbes Nash, un mathématicien, Prix Nobel d'économie, schizophrène. Le spectateur voit par exemple, comme le voit le malade, l'ami que le personnage s'est inventé quand il était étudiant à Princeton et les délires du savant ont l'apparence de la vérité. De la même façon, le lecteur du « Horla » ou de la « Lettre d'un fou » commence à s'interroger sur ce qu'il croit être la réalité. Cette question des limites entre le réel et l'imaginaire se pose encore aujourd'hui avec le développement de jeux vidéo particulièrement réalistes qui permettent aux internautes de créer des doubles d'eux-mêmes et d'évoluer dans un monde virtuel très proche du nôtre.

On a l'habitude enfin de classer ces contes parmi les récits fantastiques de Maupassant. Nous verrons plus loin ce que signifie exactement le terme. Mais on peut dire d'ores et déjà que le concept attire et continue d'attirer dans la littérature comme au cinéma. Les œuvres fantastiques jouent en effet sur les sentiments de peur, d'inquiétude du lecteur et du spectateur qui est placé dans une situation de malaise et est amené à s'interroger sans qu'on lui donne parfois de réponse.

Toutes ces raisons expliquent sans doute le succès du « Horla » aujourd'hui encore. Sept films ont été d'ailleurs inspirés par cette nouvelle parmi lesquels *L'Étrange Histoire du juge Cordier* (*Diary of a Madman* pour le titre américain) un film de Reginald Le Borg tourné à Hollywood en 1962. En France, Jean-Daniel Pollet a réalisé *Le Horla* en 1966 avec Laurent Terzieff. La nouvelle « La Chevelure » a aussi inspiré le cinéma. En 1961, Ado Kyrou a tourné un film portant ce titre avec Michel Piccoli.

⌇ *L'essentiel*

Le lecteur d'aujourd'hui est toujours fasciné par « le Horla » et les contes fantastiques de Maupassant. Il est intéressé d'abord par l'étude quasi clinique de cas de folie sur lesquels la psychanalyse moderne a permis de jeter un regard nouveau. La maladie, ensuite, est vue de l'intérieur et le lecteur est saisi d'inquiétude, souvent dans l'incapacité de faire la part entre la réalité et l'hallucination.

ŒUVRES COMPLÈTES ILLUSTRÉES

DE

GUY DE MAUPASSANT

Le

Horla

Illustrations

DE

JULIAN-DAMAZY

Gravure sur bois

PAR

G. LEMOINE

PARIS

LIBRAIRIE OLLENDORFF

1908

Le Horla. Librairie Ollendorff, Paris, 1908.

Le Horla

et autres contes fantastiques

Guy de **Maupassant**

Contes fantastiques
écrits entre 1882 et 1887

Le Horla

Version de 1887

....

8 mai.

Quelle journée admirable ! J'ai passé toute la matinée étendu sur
l'herbe, devant ma maison, sous l'énorme platane qui la couvre,
l'abrite et l'ombrage tout entière. J'aime ce pays[1], et j'aime y vivre
5 parce que j'y ai mes racines, ces profondes et délicates racines,
qui attachent un homme à la terre où sont nés et morts ses aïeux,
qui l'attachent à ce qu'on pense et à ce qu'on mange, aux usages
comme aux nourritures, aux locutions[2] locales, aux intonations
des paysans, aux odeurs du sol, des villages et de l'air lui-même.

10 J'aime ma maison où j'ai grandi. De mes fenêtres, je vois la Seine
qui coule, le long de mon jardin, derrière la route, presque chez
moi, la grande et large Seine qui va de Rouen au Havre, couverte
de bateaux qui passent.

À gauche, là-bas, Rouen, la vaste ville aux toits bleus, sous le peuple
15 pointu des clochers gothiques. Ils sont innombrables, frêles ou
larges, dominés par la flèche de fonte de la cathédrale, et pleins de
cloches qui sonnent dans l'air bleu des belles matinées, jetant jusqu'à moi leur doux et lointain bourdonnement de fer, leur chant
d'airain[3] que la brise m'apporte, tantôt plus fort et tantôt plus affai-
20 bli, suivant qu'elle s'éveille ou s'assoupit.

Comme il faisait bon ce matin !

Vers onze heures, un long convoi de navires, traînés par un remor-
queur, gros comme une mouche, et qui râlait de peine en vomis-
sant une fumée épaisse, défila devant ma grille.

25 Après deux goélettes[4] anglaises, dont le pavillon rouge ondoyait
sur le ciel, venait un superbe trois-mâts brésilien, tout blanc, admirablement propre et luisant. Je le saluai, je ne sais pourquoi, tant ce
navire me fit plaisir à voir.

------

1. **Ce pays :** la Normandie, comme l'indiquent la Seine et Rouen mentionnés plus
loin.
2. **Locutions :** manières de s'exprimer.
3. **Airain :** bronze, métal dans lequel sont coulées les cloches.
4. **Goélette :** bateau à deux mâts.

12 mai.

30 J'ai un peu de fièvre depuis quelques jours ; je me sens souffrant, ou plutôt je me sens triste.

D'où viennent ces influences mystérieuses qui changent en découragement notre bonheur et notre confiance en détresse ? On dirait que l'air, l'air invisible est plein d'inconnaissables Puissances, dont

35 nous subissons les .voisinages mystérieux. Je m'éveille plein de gaieté, avec des envies de chanter dans la gorge. – Pourquoi ? – Je descends le long de l'eau ; et soudain, après une courte promenade, je rentre désolé¹, comme si quelque malheur m'attendait chez moi. – Pourquoi ? – Est-ce un frisson de froid qui, frôlant ma

40 peau, a ébranlé mes nerfs et assombri mon âme ? Est-ce la forme des nuages, ou la couleur du jour, la couleur des choses, si variable, qui, passant par mes yeux, a troublé ma pensée ? Sait-on ? Tout ce qui nous entoure, tout ce que nous voyons sans le regarder, tout ce que nous frôlons sans le connaître, tout ce que nous touchons

45 sans le palper, tout ce que nous rencontrons sans le distinguer, a sur nous, sur nos organes et, par eux, sur nos idées, sur notre cœur lui-même, des effets rapides, surprenants et inexplicables.

Comme il est profond, ce mystère de l'Invisible ! Nous ne le pouvons sonder avec nos sens misérables, avec nos yeux qui ne savent

50 apercevoir ni le trop petit, ni le trop grand, ni le trop près, ni le trop loin, ni les habitants d'une étoile, ni les habitants d'une goutte d'eau... avec nos oreilles qui nous trompent, car elles nous transmettent les vibrations de l'air en notes sonores. Elles sont des fées qui font ce miracle de changer en bruit ce mouvement et par cette

55 métamorphose donnent naissance à la musique, qui rend chantante l'agitation muette de la nature... avec notre odorat, plus faible que celui du chien... avec notre goût, qui peut à peine discerner l'âge d'un vin !

Ah ! si nous avions d'autres organes qui accompliraient en notre

60 faveur d'autres miracles, que de choses nous pourrions découvrir encore autour de nous !

---

1. **Désolé :** terriblement affligé ; attristé.

Clefs d'analyse

Action et personnages

1. Que sait-on sur le lieu où se déroule l'histoire ? Est-il réel ?

2. Montrez que c'est un lieu de passage.

3. Relevez dans le premier paragraphe le champ lexical de l'arbre. Quel rôle joue-t-il ?

4. Quelle figure de style est utilisée pour décrire le trois-mâts brésilien : « un superbe trois-mâts brésilien, tout blanc, admirablement propre et luisant » (p. 20) ? Quel effet le narrateur cherche-t-il à produire ?

5. Le narrateur vous paraît-il fou ?

6. Comment le narrateur explique-t-il le malaise qu'il ressent ?

7. Pourquoi tant de mystères demeurent dans la nature pour les hommes selon le narrateur ?

Langue

8. Examinez les points d'interrogation, les points d'exclamation et les tirets employés par le narrateur pour la journée du 12 mai. Que signifient ces signes de ponctuation ?

9. Pourquoi le narrateur met-il des majuscules aux mots « Puissances », « Invisible » ?

10. Quelles sont les valeurs du présent dans les phrases suivantes du 12 mai : « J'ai un peu de fièvre […] je me sens triste » ; « Je descends le long de l'eau […] m'attendait chez moi » ; « Comme il est profond, ce mystère de l'Invisible ! »

11. À la fin du deuxième paragraphe du 12 mai (p. 21), le narrateur utilise une anaphore : « tout ce qui / que ». Quel est le rôle de cette figure de style ?

Genre ou thèmes

12. Qu'attend-on d'un début de récit ? Tous les éléments d'un incipit sont-ils présents ici ?

13. Avez-vous envie de lire la suite ? Pourquoi ?

14. Dans quel genre littéraire classeriez-vous ce texte ?

15. Que signifie la ligne de points qui commence le récit ? Pourquoi le texte commence-t-il à cette date ?

16. Pourquoi le narrateur n'écrit-il rien entre le 8 mai et le 12 mai ? Qu'est-ce qu'une ellipse ? Quel lien le lecteur peut-il trouver entre ces deux dates ?

Écriture

17. Rédigez un paragraphe dans lequel vous vous interrogerez sur un mystère de la nature. Vous utiliserez des phrases interrogatives et exclamatives et les figures de style de l'anaphore et de l'hyperbole.

18. Rédigez les premières pages de votre journal. Vous le commencerez à un moment de crise. Votre émotion doit transparaître dans votre écriture.

19. Rédigez le commentaire du premier paragraphe du texte. Vous montrerez par exemple comment s'expriment les sentiments du narrateur (forme de phrase, figures de style, lexique), et comment se développe l'idée d'attachement (champ lexical de l'arbre, anaphores et énumérations).

Pour aller plus loin

20. Comparez cet incipit avec celui de journaux intimes véritables comme celui d'Anne Frank. Qu'est-ce qui manque au journal du « Horla » ? Pouvez-vous trouver des points communs ?

> ## ✳ À retenir
>
> Un début de récit *(incipit)* doit attirer le lecteur et lui donner rapidement les éléments nécessaires pour cadrer l'histoire et la comprendre (lieu, moment, personnage principal). Il indique aussi le genre (un journal), le thème (le mal-être du narrateur) mais laisse en suspens des éléments pour donner envie de lire la suite tout en indiquant quelques pistes (le rôle du trois-mâts).

Le Horla

16 mai.
Je suis malade, décidément ! Je me portais si bien le mois dernier !
J'ai la fièvre, une fièvre atroce, ou plutôt un énervement fiévreux,
qui rend mon âme aussi souffrante que mon corps ! J'ai sans cesse
cette sensation affreuse d'un danger menaçant, cette appréhension
d'un malheur qui vient ou de la mort qui approche, ce pressentiment qui est sans doute l'atteinte d'un mal encore inconnu, ger-
mant dans le sang et dans la chair.

18 mai.
Je viens d'aller consulter un médecin, car je ne pouvais plus dormir. Il m'a trouvé le pouls rapide, l'œil dilaté, les nerfs vibrants,
mais sans aucun symptôme alarmant. Je dois me soumettre aux
douches et boire du bromure de potassium[1].

25 mai.
Aucun changement ! Mon état, vraiment, est bizarre. À mesure
qu'approche le soir, une inquiétude incompréhensible m'envahit,
comme si la nuit cachait pour moi une menace terrible. Je dîne
vite, puis j'essaie de lire ; mais je ne comprends pas les mots ; je
distingue à peine les lettres. Je marche alors dans mon salon de
long en large, sous l'oppression d'une crainte confuse et irrésistible,
la crainte du sommeil et la crainte du lit.
Vers dix heures, je monte dans ma chambre. À peine entré, je
donne deux tours de clef, et je pousse les verrous ; j'ai peur... de
quoi ?... Je ne redoutais rien jusqu'ici... j'ouvre mes armoires, je
regarde sous mon lit ; j'écoute... j'écoute... quoi ?... Est-ce étrange
qu'un simple malaise, un trouble de la circulation peut-être, l'irrita-
tion d'un filet nerveux, un peu de congestion, une toute petite per-
turbation dans le fonctionnement si imparfait et si délicat de notre
machine vivante, puisse faire un mélancolique du plus joyeux
des hommes, et un poltron du plus brave ? Puis, je me couche, et
j'attends le sommeil comme on attendrait le bourreau. Je l'attends
avec l'épouvante de sa venue, et mon cœur bat, et mes jambes
frémissent ; et tout mon corps tressaille dans la chaleur des draps,

---

1. **Bromure de potassium :** puissant calmant utilisé au XIXe siècle pour traiter les
maladies nerveuses.

⁹⁵ jusqu'au moment où je tombe tout à coup dans le repos, comme on tomberait pour s'y noyer, dans un gouffre d'eau stagnante. Je ne le sens pas venir, comme autrefois, ce sommeil perfide, caché près de moi, qui me guette, qui va me saisir par la tête, me fermer les yeux, m'anéantir.

¹⁰⁰ Je dors – longtemps – deux ou trois heures – puis un rêve – non – un cauchemar m'étreint. Je sens bien que je suis couché et que je dors... je le sens et je le sais... et je sens aussi que quelqu'un s'approche de moi, me regarde, me palpe, monte sur mon lit, s'agenouille sur ma poitrine, me prend le cou entre ses mains et serre...
¹⁰⁵ serre... de toute sa force pour m'étrangler.

Moi, je me débats, lié par cette impuissance atroce, qui nous paralyse dans les songes ; je veux crier, – je ne peux pas ; – je veux remuer, – je ne peux pas ; – j'essaie, avec des efforts affreux, en haletant, de me tourner, de rejeter cet être qui m'écrase et qui
¹¹⁰ m'étouffe, – je ne peux pas !

Et soudain, je m'éveille, affolé, couvert de sueur. J'allume une bougie. Je suis seul.

Après cette crise, qui se renouvelle toutes les nuits, je dors enfin, avec calme, jusqu'à l'aurore.

¹¹⁵ **2 juin.**

Mon état s'est encore aggravé. Qu'ai-je donc ? Le bromure n'y fait rien ; les douches n'y font rien. Tantôt, pour fatiguer mon corps, si las pourtant, j'allai faire un tour dans la forêt de Roumare. Je crus d'abord que l'air frais, léger et doux, plein d'odeur d'herbes
¹²⁰ et de feuilles, me versait aux veines un sang nouveau, au cœur une énergie nouvelle. Je pris une grande avenue de chasse, puis je tournai vers La Bouille[1], par une allée étroite, entre deux armées d'arbres démesurément hauts qui mettaient un toit vert, épais, presque noir, entre le ciel et moi.

¹²⁵ Un frisson me saisit soudain, non pas un frisson de froid, mais un étrange frisson d'angoisse.

Je hâtai le pas, inquiet d'être seul dans ce bois, apeuré sans raison, stupidement, par la profonde solitude. Tout à coup, il me sembla

---

1. **La Bouille** : village situé à une quinzaine de kilomètres de Rouen dans la forêt de Roumare.

que j'étais suivi, qu'on marchait sur mes talons, tout près, à me
130 toucher.

Je me retournai brusquement. J'étais seul. Je ne vis derrière moi
que la droite et large allée vide, haute, redoutablement vide ; et
de l'autre côté elle s'étendait aussi à perte de vue, toute pareille,
effrayante.

135 Je fermai les yeux. Pourquoi ? Et je me mis à tourner sur un talon,
très vite, comme une toupie. Je faillis tomber ; je rouvris les yeux ;
les arbres dansaient, la terre flottait ; je dus m'asseoir. Puis, ah ! je
ne savais plus par où j'étais venu ! Bizarre idée ! Bizarre ! Bizarre
idée ! Je ne savais plus du tout. Je partis par le côté qui se trouvait
140 à ma droite, et je revins dans l'avenue qui m'avait amené au milieu
de la forêt.

3 juin.
La nuit a été horrible. Je vais m'absenter pendant quelques semaines.
Un petit voyage, sans doute, me remettra.

145 **2 juillet.**
Je rentre. Je suis guéri. J'ai fait d'ailleurs une excursion charmante.
J'ai visité le mont Saint-Michel que je ne connaissais pas.

Quelle vision, quand on arrive, comme moi, à Avranches, vers la
fin du jour ! La ville est sur une colline ; et on me conduisit dans
150 le jardin public, au bout de la cité. Je poussai un cri d'étonnement.
Une baie démesurée s'étendait devant moi, à perte de vue, entre
deux côtes écartées se perdant au loin dans les brumes ; et au
milieu de cette immense baie jaune, sous un ciel d'or et de clarté,
s'élevait sombre et pointu un mont étrange, au milieu des sables.
155 Le soleil venait de disparaître, et sur l'horizon encore flamboyant
se dessinait le profil de ce fantastique rocher qui porte sur son
sommet un fantastique monument.

Dès l'aurore, j'allai vers lui. La mer était basse, comme la veille au
soir, et je regardais se dresser devant moi, à mesure que j'appro-
160 chais d'elle, la surprenante abbaye. Après plusieurs heures de marche,
j'atteignis l'énorme bloc de pierre qui porte la petite cité dominée
par la grande église. Ayant gravi la rue étroite et rapide, j'entrai
dans la plus admirable demeure gothique construite pour Dieu
sur la terre, vaste comme une ville, pleine de salles basses écrasées

165 sous des voûtes et de hautes galeries que soutiennent de frêles colonnes. J'entrai dans ce gigantesque bijou de granit, aussi léger qu'une dentelle, couvert de tours, de sveltes clochetons, où montent des escaliers tordus, et qui lancent dans le ciel bleu des jours, dans le ciel noir des nuits, leurs têtes bizarres hérissées de chimères[1], de
170 diables, de bêtes fantastiques, de fleurs monstrueuses, et reliés l'un à l'autre par de fines arches ouvragées.

Quand je fus sur le sommet, je dis au moine qui m'accompagnait : « Mon Père, comme vous devez être bien ici ! »

Il répondit : « Il y a beaucoup de vent, monsieur » ; et nous nous
175 mîmes à causer en regardant monter la mer, qui courait sur le sable et le couvrait d'une cuirasse d'acier.

Et le moine me conta des histoires, toutes les vieilles histoires de ce lieu, des légendes, toujours des légendes.

Une d'elles me frappa beaucoup. Les gens du pays, ceux du mont,
180 prétendent qu'on entend parler la nuit dans les sables, puis qu'on entend bêler deux chèvres, l'une avec une voix forte, l'autre avec une voix faible. Les incrédules affirment que ce sont les cris des oiseaux de mer, qui ressemblent tantôt à des bêlements, et tantôt à des plaintes humaines ; mais les pêcheurs attardés jurent avoir
185 rencontré, rôdant sur les dunes, entre deux marées, autour de la petite ville jetée ainsi loin du monde, un vieux berger, dont on ne voit jamais la tête couverte de son manteau, et qui conduit, en marchant devant eux, un bouc à figure d'homme et une chèvre à figure de femme, tous deux avec de longs cheveux blancs et
190 parlant sans cesse, se querellant dans une langue inconnue, puis cessant soudain de crier pour bêler de toute leur force.

Je dis au moine : « Y croyez-vous ? » Il murmura : « Je ne sais pas. »

Je repris : « S'il existait sur la terre d'autres êtres que nous, comment ne les connaîtrions-nous point depuis longtemps ; comment
195 ne les auriez-vous pas vus, vous ? comment ne les aurais-je pas vus, moi ? »

Il répondit : « Est-ce que nous voyons la cent millième partie de ce qui existe ? Tenez, voici le vent, qui est la plus grande force de la nature, qui renverse les hommes, abat les édifices, déracine les
200 arbres, soulève la mer en montagnes d'eau, détruit les falaises, et

---

1. **Chimères :** monstres fabuleux.

jette aux brisants[1] les grands navires, le vent qui tue, qui siffle, qui gémit, qui mugit, – l'avez-vous vu, et pouvez-vous le voir ? Il existe, pourtant. »

205 Je me tus devant ce simple raisonnement. Cet homme était un sage ou peut-être un sot. Je ne l'aurais pas pu affirmer au juste ; mais je me tus. Ce qu'il disait là, je l'avais pensé souvent.

3 juillet.

J'ai mal dormi ; certes, il y a ici une influence fiévreuse, car mon cocher souffre du même mal que moi. En rentrant hier, j'avais
210 remarqué sa pâleur singulière. Je lui demandai :

« Qu'est-ce que vous avez, Jean ?

– J'ai que je ne peux plus me reposer, monsieur, ce sont mes nuits qui mangent mes jours. Depuis le départ de monsieur, cela me tient comme un sort. »
215 Les autres domestiques vont bien cependant, mais j'ai grand-peur d'être repris[2], moi.

4 juillet.

Décidément, je suis repris. Mes cauchemars anciens reviennent. Cette nuit, j'ai senti quelqu'un accroupi sur moi, et qui, sa bouche
220 sur la mienne, buvait ma vie entre mes lèvres. Oui, il la puisait dans ma gorge, comme aurait fait une sangsue[3]. Puis il s'est levé, repu, et moi je me suis réveillé, tellement meurtri, brisé, anéanti, que je ne pouvais plus remuer. Si cela continue encore quelques jours, je repartirai certainement.

225 **5 juillet.**

Ai-je perdu la raison ? Ce qui s'est passé la nuit dernière est tellement étrange, que ma tête s'égare quand j'y songe !

Comme je le fais maintenant chaque soir, j'avais fermé ma porte à clef ; puis, ayant soif, je bus un demi-verre d'eau, et je remarquai
230 par hasard que ma carafe était pleine jusqu'au bouchon de cristal.

---

1. **Brisants :** écueils, récifs.
2. **Repris :** soumis de nouveau aux symptômes qui l'avaient fait fuir de chez lui.
3. **Sangsue :** sorte de ver qui se fixe sur la peau et suce le sang.

Je me couchai ensuite et je tombai dans un de mes sommeils épouvantables, dont je fus tiré au bout de deux heures environ par une
secousse plus affreuse encore.

Figurez-vous un homme qui dort, qu'on assassine, et qui se
235 réveille, avec un couteau dans le poumon, et qui râle, couvert de
sang, et qui ne peut plus respirer, et qui va mourir, et qui ne comprend pas – voilà.

Ayant enfin reconquis ma raison, j'eus soif de nouveau ; j'allumai une
bougie et j'allai vers la table où était posée ma carafe. Je la soulevai en
240 la penchant sur mon verre ; rien ne coula. – Elle était vide ! Elle était
vide complètement ! D'abord, je n'y compris rien ; puis, tout à coup,
je ressentis une émotion si terrible, que je dus m'asseoir, ou plutôt,
que je tombai sur une chaise ! puis, je me redressai d'un saut pour
regarder autour de moi ! puis je me rassis, éperdu d'étonnement et de
245 peur, devant le cristal transparent ! Je le contemplais avec des yeux
fixes, cherchant à deviner. Mes mains tremblaient ! On avait donc bu
cette eau ? Qui ? Moi ? moi, sans doute ? Ce ne pouvait être que moi ?
Alors, j'étais somnambule, je vivais, sans le savoir, de cette double
vie mystérieuse qui fait douter s'il y a deux êtres en nous, ou si un
250 être étranger, inconnaissable et invisible, anime, par moments, quand
notre âme est engourdie, notre corps captif qui obéit à cet autre,
comme à nous-mêmes, plus qu'à nous-mêmes.

Ah ! qui comprendra mon angoisse abominable ? Qui comprendra
l'émotion d'un homme, sain d'esprit, bien éveillé, plein de raison
255 et qui regarde épouvanté, à travers le verre d'une carafe, un peu
d'eau disparue pendant qu'il a dormi ! Et je restai là jusqu'au jour,
sans oser regagner mon lit.

6 juillet.
Je deviens fou. On a encore bu toute ma carafe cette nuit ; – ou
260 plutôt, je l'ai bue !
Mais, est-ce moi ? Est-ce moi ? Qui serait-ce ? Qui ? Oh ! mon
Dieu ! Je deviens fou ! Qui me sauvera ?

10 juillet.
Je viens de faire des épreuves[1] surprenantes.

---

1. **Épreuves :** expériences.

265 Décidément, je suis fou ! Et pourtant !

Le 6 juillet, avant de me coucher, j'ai placé sur ma table du vin, du lait, de l'eau, du pain et des fraises.

On a bu – j'ai bu – toute l'eau, et un peu de lait. On n'a touché ni au vin, ni au pain, ni aux fraises.

270 Le 7 juillet, j'ai renouvelé la même épreuve, qui a donné le même résultat.

Le 8 juillet, j'ai supprimé l'eau et le lait. On n'a touché à rien.

Le 9 juillet enfin, j'ai remis sur ma table l'eau et le lait seulement, en ayant soin d'envelopper les carafes en des linges de mousseline

275 blanche et de ficeler les bouchons. Puis, j'ai frotté mes lèvres, ma barbe, mes mains avec de la mine de plomb[1], et je me suis couché. L'invincible sommeil m'a saisi, suivi bientôt de l'atroce réveil. Je n'avais point remué ; mes draps eux-mêmes ne portaient pas de taches. Je m'élançai vers ma table. Les linges enfermant les bou-

280 teilles étaient demeurés immaculés. Je déliai les cordons, en palpitant de crainte. On avait bu toute l'eau ! on avait bu tout le lait ! Ah ! mon Dieu !...

Je vais partir tout à l'heure pour Paris.

12 juillet.

285 Paris. J'avais donc perdu la tête les jours derniers ! J'ai dû être le jouet de mon imagination énervée, à moins que je ne sois vraiment somnambule, ou que j'aie subi une de ces influences constatées, mais inexplicables jusqu'ici, qu'on appelle suggestions. En tout cas, mon affolement touchait à la démence, et vingt-quatre heures de

290 Paris ont suffi pour me remettre d'aplomb.

Hier, après des courses et des visites, qui m'ont fait passer dans l'âme de l'air nouveau et vivifiant, j'ai fini ma soirée au Théâtre-Français. On y jouait une pièce d'Alexandre Dumas fils ; et cet esprit alerte et puissant a achevé de me guérir. Certes, la solitude

295 est dangereuse pour les intelligences qui travaillent. Il nous faut, autour de nous, des hommes qui pensent et qui parlent. Quand nous sommes seuls longtemps, nous peuplons le vide de fantômes.

---

1. **Mine de plomb :** métal d'un gris bleuâtre.

Je suis rentré à l'hôtel très gai, par les boulevards. Au coudoiement[1]
de la foule, je songeais, non sans ironie, à mes terreurs, à mes suppositions de l'autre semaine, car j'ai cru, oui, j'ai cru qu'un être invisible habitait sous mon toit. Comme notre tête est faible et s'effare,
et s'égare vite, dès qu'un petit fait incompréhensible nous frappe !
Au lieu de conclure par ces simples mots : « Je ne comprends pas
parce que la cause m'échappe », nous imaginons aussitôt des mystères effrayants et des puissances surnaturelles.

14 juillet.
Fête de la République. Je me suis promené par les rues. Les pétards
et les drapeaux m'amusaient comme un enfant. C'est pourtant
fort bête d'être joyeux, à date fixe, par décret du gouvernement.
Le peuple est un troupeau imbécile, tantôt stupidement patient
et tantôt férocement révolté. On lui dit : « Amuse-toi. » Il s'amuse.
On lui dit : « Va te battre avec le voisin. » Il va se battre. On lui dit :
« Vote pour l'Empereur. » Il vote pour l'Empereur. Puis, on lui dit :
« Vote pour la République. » Et il vote pour la République.
Ceux qui le dirigent sont aussi sots ; mais au lieu d'obéir à des
hommes, ils obéissent à des principes, lesquels ne peuvent être que
niais, stériles et faux, par cela même qu'ils sont des principes, c'est-
à-dire des idées réputées certaines et immuables, en ce monde où
l'on n'est sûr de rien, puisque la lumière est une illusion, puisque
le bruit est une illusion.

16 juillet.
J'ai vu hier des choses qui m'ont beaucoup troublé.
Je dînais chez ma cousine, Mme Sablé, dont le mari commande le
76e chasseurs à Limoges[2]. Je me trouvais chez elle avec deux jeunes
femmes, dont l'une a épousé un médecin, le docteur Parent, qui
s'occupe beaucoup des maladies nerveuses et des manifestations
extraordinaires auxquelles donnent lieu en ce moment les expériences sur l'hypnotisme et la suggestion.

---

1. **Coudoiement :** contact.
2. **Le 76e chasseurs à Limoges :** régiment fixé à Limoges.

Il nous raconta longtemps les résultats prodigieux obtenus par des
330 savants anglais et par les médecins de l'école de Nancy[1].
Les faits qu'il avança me parurent tellement bizarres, que je me
déclarai tout à fait incrédule.

« Nous sommes, affirmait-il, sur le point de découvrir un des
plus importants secrets de la nature, je veux dire, un de ses plus
335 importants secrets sur cette terre ; car elle en a certes d'autrement
importants, là-bas, dans les étoiles. Depuis que l'homme pense,
depuis qu'il sait dire et écrire sa pensée, il se sent frôlé par un
mystère impénétrable pour ses sens grossiers et imparfaits, et il
tâche de suppléer, par l'effort de son intelligence, à l'impuissance
340 de ses organes. Quand cette intelligence demeurait encore à l'état
rudimentaire, cette hantise des phénomènes invisibles a pris des
formes banalement effrayantes. De là sont nées les croyances
populaires au surnaturel, les légendes des esprits rôdeurs, des fées,
des gnomes, des revenants, je dirai même la légende de Dieu, car
345 nos conceptions de l'ouvrier-créateur, de quelque religion qu'elles
nous viennent, sont bien les inventions les plus médiocres, les plus
stupides, les plus inacceptables sorties du cerveau apeuré des créatures. Rien de plus vrai que cette parole de Voltaire : « Dieu a fait
l'homme à son image, mais l'homme le lui a bien rendu. »

350 « Mais, depuis un peu plus d'un siècle, on semble pressentir quelque
chose de nouveau. Mesmer[2] et quelques autres nous ont mis sur
une voie inattendue, et nous sommes arrivés vraiment, depuis
quatre ou cinq ans surtout, à des résultats surprenants. »
Ma cousine, très incrédule aussi, souriait. Le docteur Parent lui dit :
355 « Voulez-vous que j'essaie de vous endormir, madame ?
– Oui, je veux bien. »
Elle s'assit dans un fauteuil et il commença à la regarder fixement
en la fascinant. Moi, je me sentis soudain un peu troublé, le cœur
battant, la gorge serrée. Je voyais les yeux de Mme Sablé s'alourdir,
360 sa bouche se crisper, sa poitrine haleter.
Au bout de dix minutes, elle dormait.

---

1. **L'école de Nancy :** école fondée en 1884 par H. Berheim, professeur à la faculté
de médecine de Nancy. Les savants de cette école s'intéressent à l'hypnose et à la
suggestion.
2. **Mesmer :** médecin allemand (1734-1815) qui s'intéresse au magnétisme.

« Mettez-vous derrière elle », dit le médecin.

Et je m'assis derrière elle. Il lui plaça entre les mains une carte de visite en lui disant : « Ceci est un miroir ; que voyez-vous
365 dedans ? »

Elle répondit :

« Je vois mon cousin.

– Que fait -il ?

– Il se tord la moustache.

370 – Et maintenant ?

– Il tire de sa poche une photographie.

– Quelle est cette photographie ?

– La sienne. »

C'était vrai ! Et cette photographie venait de m'être livrée, le soir
375 même, à l'hôtel.

« Comment est-il sur ce portrait ?

– Il se tient debout avec son chapeau à la main. »

Donc elle voyait dans cette carte, dans ce carton blanc, comme elle eût vu dans une glace.

380 Les jeunes femmes, épouvantées, disaient : « Assez ! Assez ! Assez ! »

Mais le docteur ordonna : « Vous vous lèverez demain à huit heures ; puis vous irez trouver à son hôtel votre cousin, et vous le supplierez de vous prêter cinq mille francs que votre mari vous demande et qu'il vous réclamera à son prochain voyage. »

385 Puis il la réveilla.

En rentrant à l'hôtel, je songeai à cette curieuse séance et des doutes m'assaillirent, non point sur l'absolue, sur l'insoupçonnable bonne foi de ma cousine, que je connaissais comme une sœur, depuis l'enfance, mais sur une supercherie possible du docteur. Ne
390 dissimulait-il pas dans sa main une glace qu'il montrait à la jeune femme endormie, en même temps que sa carte de visite ? Les prestidigitateurs de profession font des choses autrement singulières. Je rentrai donc et je me couchai.

Or, ce matin, vers huit heures et demie, je fus réveillé par mon
395 valet de chambre, qui me dit :

« C'est Mme Sablé qui demande à parler à monsieur tout de suite. »

Je m'habillai à la hâte et je la reçus.

Elle s'assit fort troublée, les yeux baissés, et, sans lever son voile, elle me dit :

400 « Mon cher cousin, j'ai un gros service à vous demander.

– Lequel, ma cousine ?

– Cela me gêne beaucoup de vous le dire, et pourtant, il le faut. J'ai besoin, absolument besoin, de cinq mille francs.

– Allons donc, vous ?

405 – Oui, moi, ou plutôt mon mari, qui me charge de les trouver. »

J'étais tellement stupéfait, que je balbutiais mes réponses. Je me demandais si vraiment elle ne s'était pas moquée de moi avec le docteur Parent, si ce n'était pas là une simple farce préparée d'avance et fort bien jouée.

410 Mais, en la regardant avec attention, tous mes doutes se dissipèrent. Elle tremblait d'angoisse, tant cette démarche lui était douloureuse, et je compris qu'elle avait la gorge pleine de sanglots.

Je la savais fort riche et je repris :

« Comment ! votre mari n'a pas cinq mille francs à sa disposition !

415 Voyons, réfléchissez. Êtes-vous sûre qu'il vous a chargée de me les demander ? »

Elle hésita quelques secondes comme si elle eût fait un grand effort pour chercher dans son souvenir, puis elle répondit :

« Oui..., oui... j'en suis sûre.

420 – Il vous a écrit ? »

Elle hésita encore, réfléchissant. Je devinai le travail torturant de sa pensée. Elle ne savait pas. Elle savait seulement qu'elle devait m'emprunter cinq mille francs pour son mari. Donc elle osa mentir.

« Oui, il m'a écrit.

425 – Quand donc ? Vous ne m'avez parlé de rien, hier.

– J'ai reçu sa lettre ce matin.

– Pouvez-vous me la montrer ?

– Non... non... non... elle contenait des choses intimes... trop personnelles... je l'ai... je l'ai brûlée.

430 – Alors, c'est que votre mari fait des dettes. »

Elle hésita encore, puis murmura :

« Je ne sais pas. »

Je déclarai brusquement :

« C'est que je ne puis disposer de cinq mille francs en ce moment,

435 ma chère cousine. »

Elle poussa une sorte de cri de souffrance.

« Oh ! oh ! je vous en prie, je vous en prie, trouvez-les... »

Elle s'exaltait[1], joignait les mains comme si elle m'eût prié !
J'entendais sa voix changer de ton ; elle pleurait et bégayait, harce-
440 lée, dominée par l'ordre irrésistible qu'elle avait reçu.
« Oh ! oh ! je vous en supplie... si vous saviez comme je souffre... il
me les faut aujourd'hui. »
J'eus pitié d'elle.
« Vous les aurez tantôt, je vous le jure.
445 Elle s'écria :
« Oh ! merci ! merci ! que vous êtes bon. »
Je repris : « Vous rappelez-vous ce qui s'est passé hier chez vous ?
– Oui.
– Vous rappelez-vous que le docteur Parent vous a endormie ?
450 – Oui.
– Eh bien, il vous a ordonné de venir m'emprunter ce matin cinq
mille francs, et vous obéissez en ce moment à cette suggestion. »
Elle réfléchit quelques secondes et répondit :
« Puisque c'est mon mari qui les demande. »
455 Pendant une heure, j'essayai de la convaincre, mais je n'y pus
parvenir.
Quand elle fut partie, je courus chez le docteur. Il allait sortir ; et il
m'écouta en souriant. Puis il dit :
« Croyez-vous maintenant ?
460 – Oui, il le faut bien.
– Allons chez votre parente. »
Elle sommeillait déjà sur une chaise longue, accablée de fatigue. Le
médecin lui prit le pouls, la regarda quelque temps, une main levée
vers ses yeux qu'elle ferma peu à peu sous l'effort insoutenable de
465 cette puissance magnétique.
Quand elle fut endormie :
« Votre mari n'a plus besoin de cinq mille francs. Vous allez donc
oublier que vous avez prié votre cousin de vous les prêter, et, s'il
vous parle de cela, vous ne comprendrez pas. »
470 Puis il la réveilla. Je tirai de ma poche un portefeuille :
« Voici, ma chère cousine, ce que vous m'avez demandé ce matin. »

---

1. **Elle s'exaltait :** elle s'enflammait, s'emportait.

Elle fut tellement surprise que je n'osai pas insister. J'essayai cependant de ranimer sa mémoire, mais elle nia avec force, crut que je me moquais d'elle, et faillit, à la fin, se fâcher.

....

475 Voilà ! je viens de rentrer ; et je n'ai pu déjeuner, tant cette expérience m'a bouleversé.

19 juillet.
Beaucoup de personnes à qui j'ai raconté cette aventure se sont moquées de moi. Je ne sais plus que penser. Le sage dit : Peut-être ?

480 **21 juillet.**
J'ai été dîner à Bougival, puis j'ai passé la soirée au bal des canotiers[1]. Décidément, tout dépend des lieux et des milieux. Croire au surnaturel dans l'île de la Grenouillère[2], serait le comble de la folie... mais au sommet du mont Saint-Michel ?... mais dans les
485 Indes ? Nous subissons effroyablement l'influence de ce qui nous entoure. Je rentrerai chez moi la semaine prochaine.

30 juillet.
Je suis revenu dans ma maison depuis hier. Tout va bien.

2 août.
490 Rien de nouveau ; il fait un temps superbe. Je passe mes journées à regarder couler la Seine.

4 août.
Querelles parmi mes domestiques. Ils prétendent qu'on casse les verres, la nuit, dans les armoires. Le valet de chambre accuse la
495 cuisinière, qui accuse la lingère, qui accuse les deux autres. Quel est le coupable ? Bien fin qui le dirait !

---

1. **Canotiers :** personnes qui font du canotage.
2. **L'île de la Grenouillère :** située à Bougival, près de Paris. Maupassant a beaucoup fréquenté ces lieux de baignade et de canotage où fleurissent bals et guinguettes.

Clefs d'analyse

Action et personnages

1. Comment le narrateur qualifie-t-il l'état dans lequel il se trouve ? Classez les mots et expressions en deux colonnes. Dans l'une, vous écrirez ce qui relève de l'aspect physique de la maladie, dans l'autre, ce qui relève de l'aspect psychologique. Appuyez-vous sur les journées du 16 mai au 25 mai.

2. Quel est le but des deux voyages au mont Saint-Michel et à Paris ? Comment le narrateur explique-t-il qu'il se sente guéri ? Pourquoi retrouve-t-il les mêmes troubles quand il revient chez lui ?

3. Le narrateur qualifie le mont Saint-Michel de « mont étrange » (journée du 2 juillet). Relevez le champ lexical de l'étrangeté dans ce passage. Quel sens lui donnez-vous ?

4. Que révèle au narrateur sa conversation avec le moine du mont Saint-Michel ?

5. Pourquoi le narrateur est-il aussi bouleversé par l'expérience du docteur Parent sur sa cousine ?

Langue

6. Étudiez les temps des verbes des deux premiers paragraphes du 5 juillet. Quels sont les temps employés ? Quelle est leur valeur ?

7. Lisez le passage du 5 juillet. Relevez tous les procédés qui permettent d'exprimer l'émotion du narrateur. Classez-les. Types de phrases, ponctuation, lexique, figures de style.

8. Quelles sont les figures de style employées dans les extraits suivants du 25 mai : « faire un mélancolique du plus joyeux des hommes, et un poltron du plus brave » ; « ce sommeil perfide, caché près de moi, qui me guette, qui va me saisir par la tête, me fermer les yeux, m'anéantir ». Que veulent-elles signifier ?

Genre ou thèmes

9. Que signifie « tenir son journal » Pourquoi le fait-on ?

10. S'agit-il d'après vous d'un vrai journal ? Pourquoi ?

37

11. Expliquez la succession des dates depuis le 16 mai jusqu'au 2 juillet. Pourquoi le narrateur ne rend-il pas compte de tous les jours ? Que se passe-t-il dans les intervalles ?

12. Pourquoi le narrateur raconte-t-il toutes les journées du 2 au 6 juillet ?

Écriture

13. Complétez le journal du narrateur entre le 21 et le 30 juillet. Vous pouvez rédiger une ou plusieurs journées. Le narrateur se trouve encore à Paris. Vous imaginerez qu'un fait nouveau vient troubler son esprit fragile.

14. Rédigez un paragraphe dans lequel vous analyserez pourquoi le narrateur écrit son journal. Appuyez-vous en particulier sur l'observation des dates et sur les procédés qui expriment l'émotion du narrateur pour justifier vos réponses. Dans un second paragraphe, vous essaierez de trouver d'autres raisons pour lesquelles on peut écrire son journal intime. Trouvez des exemples.

Pour aller plus loin

15. Les autres formes d'écriture de soi. Définissez ce qu'on appelle une autobiographie, des mémoires, une autobiographie fictive, une autofiction. Trouvez des exemples pour en lire des passages en classe.

16. Cherchez des autoportraits de peintres célèbres et apportez des reproductions en classe.

✳ À retenir

Le journal est une forme de l'écriture de soi. Il raconte plus ou moins quotidiennement les faits qui se sont déroulés dans la journée ou dans un passé proche. Le narrateur n'a pas le recul qu'il a nécessairement dans une autobiographie. L'émotion de l'événement qu'il vient de vivre transparaît dans le style du narrateur et se transmet directement au lecteur.

6 août.

Cette fois, je ne suis pas fou. J'ai vu... j'ai vu... j'ai vu !... Je ne puis plus douter... j'ai vu !... J'ai encore froid jusque dans les ongles... j'ai encore peur jusque dans les moelles... j'ai vu !...

Je me promenais à deux heures, en plein soleil, dans mon parterre de rosiers... dans l'allée des rosiers d'automne qui commencent à fleurir.

Comme je m'arrêtais à regarder un *géant des batailles*[1], qui portait trois fleurs magnifiques, je vis, je vis distinctement, tout près de moi, la tige d'une de ces roses se plier, comme si une main invisible l'eût tordue, puis se casser, comme si cette main l'eût cueillie ! Puis la fleur s'éleva, suivant une courbe qu'aurait décrite un bras en la portant vers une bouche, et elle resta suspendue dans l'air transparent, toute seule, immobile, effrayante tache rouge à trois pas de mes yeux.

Éperdu, je me jetai sur elle pour la saisir ! Je ne trouvai rien ; elle avait disparu. Alors je fus pris d'une colère furieuse contre moi-même ; car il n'est pas permis à un homme raisonnable et sérieux d'avoir de pareilles hallucinations.

Mais était-ce bien une hallucination ? Je me retournai pour chercher la tige, et je la retrouvai immédiatement sur l'arbuste, fraîchement brisée entre les deux autres roses demeurées à la branche.

Alors, je rentrai chez moi l'âme bouleversée, car je suis certain, maintenant, certain comme de l'alternance des jours et des nuits, qu'il existe près de moi un être invisible, qui se nourrit de lait et d'eau, qui peut toucher aux choses, les prendre et les changer de place, doué par conséquent d'une nature matérielle, bien qu'imperceptible pour nos sens, et qui habite comme moi, sous mon toit...

7 août.

J'ai dormi tranquille. Il a bu l'eau de ma carafe, mais n'a point troublé mon sommeil.

Je me demande si je suis fou. En me promenant, tantôt au grand soleil, le long de la rivière, des doutes me sont venus sur ma raison, non point des doutes vagues comme j'en avais jusqu'ici, mais des doutes précis, absolus. J'ai vu des fous ; j'en ai connu qui

---

1. *Géant des batailles :* nom donné à un rosier dont les fleurs sont rouges.

restaient intelligents, lucides, clairvoyants même sur toutes les choses de la vie, sauf sur un point. Ils parlaient de tout avec clarté, avec souplesse, avec profondeur, et soudain leur pensée, touchant
535 l'écueil de leur folie, s'y déchirait en pièces, s'éparpillait et sombrait dans cet océan effrayant et furieux, plein de vagues bondissantes, de brouillards, de bourrasques, qu'on nomme « la démence ».

Certes, je me croirais fou, absolument fou, si je n'étais conscient, si je ne connaissais parfaitement mon état, si je ne le sondais en l'ana-
540 lysant avec une complète lucidité. Je ne serais donc, en somme, qu'un halluciné raisonnant. Un trouble inconnu se serait produit dans mon cerveau, un de ces troubles qu'essaient de noter et de préciser aujourd'hui les physiologistes[1] ; et ce trouble aurait déter-miné dans mon esprit, dans l'ordre et la logique de mes idées, une
545 crevasse profonde. Des phénomènes semblables ont lieu dans le rêve qui nous promène à travers les fantasmagories[2] les plus invrai-semblables, sans que nous en soyons surpris, parce que l'appareil vérificateur, parce que le sens du contrôle est endormi ; tandis que la faculté imaginative veille et travaille. Ne se peut-il pas qu'une
550 des imperceptibles touches du clavier cérébral se trouve paralysée chez moi ? Des hommes, à la suite d'accidents, perdent la mémoire des noms propres ou des verbes ou des chiffres, ou seulement des dates. Les localisations de toutes les parcelles de la pensée sont aujourd'hui prouvées. Or, quoi d'étonnant à ce que ma faculté de
555 contrôler l'irréalité de certaines hallucinations, se trouve engourdie chez moi en ce moment !

Je songeais à tout cela en suivant le bord de l'eau. Le soleil couvrait de clarté la rivière, faisait la terre délicieuse, emplissait mon regard d'amour pour la vie, pour les hirondelles, dont l'agilité est une joie
560 de mes yeux, pour les herbes de la rive dont le frémissement est un bonheur de mes oreilles.

Peu à peu, cependant, un malaise inexplicable me pénétrait. Une force, me semblait-il, une force occulte m'engourdissait, m'arrêtait, m'empêchait d'aller plus loin, me rappelait en arrière. J'éprouvais ce
565 besoin douloureux de rentrer qui vous oppresse, quand on a laissé

---

1. **Physiologistes :** spécialistes de l'organisme humain.
2. **Fantasmagories :** hallucinations.

au logis un malade aimé, et que le pressentiment vous saisit d'une aggravation de son mal.

Donc, je revins malgré moi, sûr que j'allais trouver, dans ma maison, une mauvaise nouvelle, une lettre ou une dépêche. Il n'y avait 570 rien ; et je demeurai plus surpris et plus inquiet que si j'avais eu de nouveau quelque vision fantastique.

8 août.

J'ai passé hier une affreuse soirée. Il ne se manifeste plus, mais je le sens près de moi, m'épiant, me regardant, me pénétrant, me domi- 575 nant et plus redoutable, en se cachant ainsi, que s'il signalait par des phénomènes surnaturels sa présence invisible et constante.

J'ai dormi, pourtant.

9 août.

Rien, mais j'ai peur.

580 **10 août.**

Rien ; qu'arrivera-t-il demain ?

11 août.

Toujours rien ; je ne puis plus rester chez moi avec cette crainte et cette pensée entrées en mon âme ; je vais partir.

585 **12 août, 10 heures du soir.**

Tout le jour j'ai voulu m'en aller ; je n'ai pas pu. J'ai voulu accomplir cet acte de liberté si facile, si simple, – sortir – monter dans ma voiture pour gagner Rouen – je n'ai pas pu. Pourquoi ?

13 août.

590 Quand on est atteint par certaines maladies, tous les ressorts de l'être physique semblent brisés, toutes les énergies anéanties, tous les muscles relâchés, les os devenus mous comme la chair et la chair liquide comme de l'eau. J'éprouve cela dans mon être moral d'une façon étrange et désolante. Je n'ai plus aucune force, aucun 595 courage, aucune domination sur moi, aucun pouvoir même de mettre en mouvement ma volonté. Je ne peux plus vouloir ; mais quelqu'un veut pour moi ; et j'obéis.

14 août.

Je suis perdu ! Quelqu'un possède mon âme et la gouverne ! quelqu'un ordonne tous mes actes, tous mes mouvements, toutes mes
pensées. Je ne suis plus rien en moi, rien qu'un spectateur esclave
et terrifié de toutes les choses que j'accomplis. Je désire sortir. Je ne
peux pas. Il ne veut pas ; et je reste, éperdu, tremblant, dans le fauteuil où il me tient assis. Je désire seulement me lever, me soulever,
afin de me croire maître de moi. Je ne peux pas ! Je suis rivé à mon
siège et mon siège adhère au sol, de telle sorte qu'aucune force ne
nous soulèverait.

Puis, tout d'un coup, il faut, il faut, il faut que j'aille au fond de
mon jardin cueillir des fraises et les manger. Et j'y vais. Je cueille
des fraises et je les mange ! Oh ! mon Dieu ! Mon Dieu ! Mon
Dieu ! Est-il un Dieu ? S'il en est un, délivrez-moi, sauvez-moi !
secourez-moi ! Pardon ! Pitié ! Grâce ! Sauvez-moi ! Oh ! quelle
souffrance ! quelle torture ! quelle horreur !

15 août.

Certes, voilà comment était possédée et dominée ma pauvre
cousine, quand elle est venue m'emprunter cinq mille francs.
Elle subissait un vouloir étranger entré en elle, comme une autre
âme, comme une autre âme parasite et dominatrice. Est-ce que le
monde va finir ?

Mais celui qui me gouverne, quel est-il, cet invisible ? cet inconnaissable, ce rôdeur d'une race surnaturelle ?

Donc les invisibles existent ! Alors, comment depuis l'origine du
monde ne se sont-ils pas encore manifestés d'une façon précise
comme ils le font pour moi ? Je n'ai jamais rien lu qui ressemble à
ce qui s'est passé dans ma demeure. Oh ! si je pouvais la quitter, si
je pouvais m'en aller, fuir et ne pas revenir. Je serais sauvé, mais je
ne peux pas.

16 août.

J'ai pu m'échapper aujourd'hui pendant deux heures, comme un
prisonnier qui trouve ouverte, par hasard, la porte de son cachot.
J'ai senti que j'étais libre tout à coup et qu'il était loin. J'ai ordonné
d'atteler bien vite et j'ai gagné Rouen. Oh ! quelle joie de pouvoir
dire à un homme qui obéit : « Allez à Rouen ! »

Je me suis fait arrêter devant la bibliothèque et j'ai prié qu'on me
635 prêtât le grand traité du docteur Hermann Herestauss[1] sur les
habitants inconnus du monde antique et moderne.

Puis, au moment de remonter dans mon coupé, j'ai voulu dire :
« À la gare ! » et j'ai crié, – je n'ai pas dit, j'ai crié – d'une voix si
forte que les passants se sont retournés : « À la maison », et je suis
640 tombé, affolé d'angoisse, sur le coussin de ma voiture. Il m'avait
retrouvé et repris.

17 août.

Quelle nuit ! quelle nuit ! Et pourtant il me semble que je
devrais me réjouir. Jusqu'à une heure du matin, j'ai lu ! Hermann
645 Herestauss, docteur en philosophie et en théogonie[2], a écrit l'histoire et les manifestations de tous les êtres invisibles rôdant autour
de l'homme ou rêvés par lui. Il décrit leurs origines, leur domaine,
leur puissance. Mais aucun d'eux ne ressemble à celui qui me
hante. On dirait que l'homme, depuis qu'il pense, a pressenti et
650 redouté un être nouveau, plus fort que lui, son successeur en ce
monde, et que, le sentant proche et ne pouvant prévoir la nature
de ce maître, il a créé, dans sa terreur, tout le peuple fantastique
des êtres occultes, fantôme vagues nés de la peur.

Donc, ayant lu jusqu'à une heure du matin, j'ai été m'asseoir
655 ensuite auprès de ma fenêtre ouverte pour rafraîchir mon front et
ma pensée au vent calme de l'obscurité.

Il faisait bon, il faisait tiède ! Comme j'aurais aimé cette nuit-là
autrefois !

Pas de lune. Les étoiles avaient au fond du ciel noir des scin-
660 tillements frémissants. Qui habite ces mondes ? Quelles formes,
quels vivants, quels animaux, quelles plantes sont là-bas ? Ceux
qui pensent dans ces univers lointains, que savent-ils plus que
nous ? Que peuvent-ils plus que nous ? Que voient-ils que nous
ne connaissons point ? Un d'eux, un jour ou l'autre, traversant
665 l'espace, n'apparaîtra-t-il pas sur notre terre pour la conquérir,
comme les Normands jadis traversaient la mer pour asservir des
peuples plus faibles ?

---

1. **Hermann Herestauss :** ce « docteur en philosophie » est une pure invention de
Maupassant.
2. **Théogonie :** récit qui explique la naissance des dieux.

Nous sommes si infirmes, si désarmés, si ignorants, si petits, nous autres, sur ce grain de boue qui tourne délayé dans une goutte 670 d'eau.

Je m'assoupis en rêvant ainsi au vent frais du soir.

Or, ayant dormi environ quarante minutes, je rouvris les yeux sans faire un mouvement, réveillé par je ne sais quelle émotion confuse et bizarre. Je ne vis rien d'abord, puis, tout à coup, il me sembla 675 qu'une page du livre resté ouvert sur ma table venait de tourner toute seule. Aucun souffle d'air n'était entré par ma fenêtre. Je fus surpris et j'attendis. Au bout de quatre minutes environ, je vis, je vis, oui, je vis de mes yeux une autre page se soulever et se rabattre sur la précédente, comme si un doigt l'eût feuilletée. Mon 680 fauteuil était vide, semblait vide ; mais je compris qu'il était là, lui, assis à ma place, et qu'il lisait. D'un bond furieux, d'un bond de bête révoltée, qui va éventrer son dompteur, je traversai ma chambre pour le saisir, pour l'étreindre, pour le tuer !... Mais mon siège, avant que je l'eusse atteint, se renversa comme si on eût fui devant 685 moi... ma table oscilla, ma lampe tomba et s'éteignit, et ma fenêtre se ferma comme si un malfaiteur surpris se fût élancé dans la nuit, en prenant à pleines mains les battants.

Donc, il s'était sauvé ; il avait eu peur, peur de moi, lui !

Alors... alors... demain... ou après..., ou un jour quelconque, je pour- 690 rai donc le tenir sous mes poings, et l'écraser contre le sol ! Est-ce que les chiens, quelquefois, ne mordent point et n'étranglent pas leurs maîtres ?

18 août.

J'ai songé toute la journée. Oh ! oui je vais lui obéir, suivre ses 695 impulsions, accomplir toutes ses volontés, me faire humble, soumis lâche. Il est le plus fort. Mais une heure viendra...

19 août.

Je sais... je sais... je sais tout ! Je viens de lire ceci dans la *Revue du Monde scientifique* : « Une nouvelle assez curieuse nous arrive de 700 Rio de Janeiro. Une folie, une épidémie de folie, comparable aux démences contagieuses qui atteignirent les peuples d'Europe au Moyen Âge, sévit en ce moment dans la province de San-Paulo. Les habitants éperdus[1] quittent leurs maisons, désertent leurs villages,

---

1. **Éperdus :** affolés.

LE HORLA

19 *août*. — Je sais... je sais...
je sais tout ! Je viens de lire ceci
dans la *Revue
du Monde
Scientifique* :

« Une nou
velle asse
curieuse nou
arrive de Rio d

Illustration du *Horla* par William Julian-Damazy.
Gravure sur bois de Georges Lemoine. Édition de 1908.

abandonnent leurs cultures, se disant poursuivis, possédés, gou-
705 vernés comme un bétail humain par des êtres invisibles bien que
tangibles[1], des sortes de vampires qui se nourrissent de leur vie,
pendant leur sommeil, et qui boivent en outre de l'eau et du lait
sans paraître toucher à aucun autre aliment.

« M. le professeur Don Pedro Henriquez, accompagné de plu-
710 sieurs savants médecins, est parti pour la province de San-Paulo
afin d'étudier sur place les origines et les manifestations de cette
surprenante folie, et de proposer à l'Empereur les mesures qui lui
paraîtront le plus propres à rappeler à la raison ces populations en
délire. »

715 Ah ! Ah ! je me rappelle, je me rappelle le beau trois-mâts brésilien
qui passa sous mes fenêtres en remontant la Seine, le 8 mai dernier ! Je le trouvais si joli, si blanc, si gai ! L'Être était dessus, venant
de là-bas, où sa race est née ! Et il m'a vu ! Il a vu ma demeure
blanche aussi ; et il a sauté du navire sur la rive. Oh ! mon Dieu !
720 À présent, je sais, je devine. Le règne de l'homme est fini.

Il est venu, Celui que redoutaient les premières terreurs des peuples
naïfs, Celui qu'exorcisaient les prêtres inquiets, que les sorciers
évoquaient par les nuits sombres, sans le voir apparaître encore, à
qui les pressentiments des maîtres passagers du monde prêtèrent
725 toutes les formes monstrueuses ou gracieuses des gnomes, des
esprits, des génies, des fées, des farfadets[2]. Après les grossières
conceptions de l'épouvante primitive, des hommes plus perspi-
caces l'ont pressenti plus clairement. Mesmer l'avait deviné et les
médecins, depuis dix ans déjà, ont découvert, d'une façon précise,
730 la nature de sa puissance avant qu'il l'eût exercée lui-même. Ils
ont joué avec cette arme du Seigneur nouveau, la domination d'un
mystérieux vouloir sur l'âme humaine devenue esclave. Ils ont
appelé cela magnétisme, hypnotisme, suggestion... que sais-je ? Je
les ai vus s'amuser comme des enfants imprudents avec cette hor-
735 rible puissance ! Malheur à nous ! Malheur à l'homme ! Il est venu,
le... le... comment se nomme-t-il... le... il me semble qu'il me crie
son nom, et je ne l'entends pas... le... oui... il le crie... J'écoute... je ne

---

1. **Tangibles :** dont on peut sentir la présence.
2. **Farfadets :** sortes de lutins gracieux et vifs. Les gnomes sont des petits génies laids
et difformes.

peux pas... répète... le... Horla... J'ai entendu... le Horla... c'est lui... le Horla... il est venu !...

740 Ah ! le vautour a mangé la colombe ; le loup a mangé le mouton ; le lion a dévoré le buffle aux cornes aiguës ; l'homme a tué le lion avec la flèche, avec le glaive, avec la poudre ; mais le Horla va faire de l'homme ce que nous avons fait du cheval et du bœuf : sa chose, son serviteur et sa nourriture, par la seule puissance de sa
745 volonté. Malheur à nous !

Pourtant, l'animal, quelquefois, se révolte et tue celui qui l'a dompté... moi aussi je veux... je pourrai... mais il faut le connaître, le toucher, le voir ! Les savants disent que l'œil de la bête, différent du nôtre, ne distingue point comme le nôtre... Et mon œil à moi ne
750 peut distinguer le nouveau venu qui m'opprime.

Pourquoi ? Oh ! je me rappelle à présent les paroles du moine du mont Saint-Michel : « Est-ce que nous voyons la cent millième partie de ce qui existe ? Tenez, voici le vent qui est la plus grande force de la nature, qui renverse les hommes, abat les édifices,
755 déracine les arbres, soulève la mer en montagnes d'eau, détruit les falaises et jette aux brisants les grands navires, le vent qui tue, qui siffle, qui gémit, qui mugit, l'avez-vous vu et pouvez-vous le voir ! Il existe pourtant ! »

Et je songeais encore : mon œil est si faible, si imparfait, qu'il ne
760 distingue même point les corps durs, s'ils sont transparents comme le verre !... Qu'une glace sans tain[1] barre mon chemin, il me jette dessus comme l'oiseau entré dans une chambre se casse la tête aux vitres. Mille choses en outre le trompent et l'égarent ? Quoi d'étonnant, alors, à ce qu'il ne sache point apercevoir un corps nouveau
765 que la lumière traverse.

Un être nouveau ! pourquoi pas ? Il devait venir assurément ! pourquoi serions-nous les derniers ! Nous ne le distinguons point, ainsi que tous les autres créés avant nous ? C'est que sa nature est plus parfaite, son corps plus fin et plus fini que le nôtre, que le
770 nôtre si faible, si maladroitement conçu, encombré d'organes toujours fatigués, toujours forcés comme des ressorts trop complexes, que le nôtre, qui vit comme une plante et comme une bête, en se nourrissant péniblement d'air, d'herbe et de viande, machine ani-

---

1. **Tain :** métal qu'on applique derrière une glace pour qu'elle réfléchisse la lumière.

male en proie aux maladies, aux déformations, aux putréfactions,
775 poussive, mal réglée, naïve et bizarre, ingénieusement mal faite,
œuvre grossière et délicate, ébauche d'être qui pourrait devenir
intelligent et superbe.

Nous sommes quelques-uns, si peu sur ce monde, depuis l'huître
jusqu'à l'homme. Pourquoi pas un de plus, une fois accomplie la
780 période qui sépare les apparitions successives de toutes les espèces
diverses ?

Pourquoi pas un de plus ? Pourquoi pas aussi d'autres arbres aux
fleurs immenses, éclatantes et parfumant des régions entières ?
Pourquoi pas d'autres éléments que le feu, l'air, la terre et l'eau ?
785 – Ils sont quatre, rien que quatre, ces pères nourriciers des êtres !
Quelle pitié ! Pourquoi ne sont-ils pas quarante, quatre cents, quatre
mille ! Comme tout est pauvre, mesquin, misérable ! avarement
donné, sèchement inventé, lourdement fait ! Ah ! l'éléphant, l'hip-
popotame, que de grâce ! le chameau, que d'élégance !
790 Mais direz-vous, le papillon ! une fleur qui vole ! J'en rêve un qui
serait grand comme cent univers, avec des ailes dont je ne puis
même exprimer la forme, la beauté, la couleur et le mouvement.
Mais je le vois... il va d'étoile en étoile, les rafraîchissant et les
embaumant au souffle harmonieux et léger de sa course !... Et les
795 peuples de là-haut le regardent passer, extasiés et ravis !

....

Qu'ai-je donc ? C'est lui, lui, le Horla, qui me hante, qui me fait
penser ces folies ! Il est en moi, il devient mon âme ; je le tuerai !

19 août.

Je le tuerai. Je l'ai vu ! je me suis assis hier soir, à ma table ; et je fis
800 semblant d'écrire avec une grande attention. Je savais bien qu'il
viendrait rôder autour de moi, tout près, si près que je pourrais
peut-être le toucher, le saisir ? Et alors !... alors, j'aurais la force des
désespérés ; j'aurais mes mains, mes genoux, ma poitrine, mon
front, mes dents pour l'étrangler, l'écraser, le mordre, le déchirer.
805 Et je le guettais avec tous mes organes surexcités.

J'avais allumé mes deux lampes et les huit bougies de ma cheminée, comme si j'eusse pu, dans cette clarté, le découvrir.

En face de moi, mon lit, un vieux lit de chêne à colonnes ; à droite, ma cheminée ; à gauche, ma porte fermée avec soin, après l'avoir laissée longtemps ouverte, afin de l'attirer ; derrière moi, une très haute armoire à glace, qui me servait chaque jour pour me raser, pour m'habiller, et où j'avais coutume de me regarder, de la tête aux pieds, chaque fois que je passais devant.

Donc, je faisais semblant d'écrire, pour le tromper, car il m'épiait lui aussi ; et soudain, je sentis, je fus certain qu'il lisait par-dessus mon épaule, qu'il était là, frôlant mon oreille.

Je me dressai, les mains tendues, en me tournant si vite que je faillis tomber. Eh bien ?... on y voyait comme en plein jour, et je ne me vis pas dans ma glace !... Elle était vide, claire, profonde, pleine de lumière ! Mon image n'était pas dedans... et j'étais en face, moi ! Je voyais le grand verre limpide du haut en bas. Et je regardais cela avec des yeux affolés ; et je n'osais plus avancer, je n'osais plus faire un mouvement, sentant bien pourtant qu'il était là, mais qu'il m'échapperait encore, lui dont le corps imperceptible avait dévoré mon reflet.

Comme j'eus peur ! Puis voilà que tout à coup je commençai à m'apercevoir dans une brume, au fond du miroir, dans une brume comme à travers une nappe d'eau ; et il me semblait que cette eau glissait de gauche à droite, lentement, rendant plus précise mon image, de seconde en seconde. C'était comme la fin d'une éclipse. Ce qui me cachait ne paraissait point posséder de contours nettement arrêtés, mais une sorte de transparence opaque, s'éclaircissant peu à peu.

Je pus enfin me distinguer complètement, ainsi que je le fais chaque jour en me regardant.

Je l'avais vu ! L'épouvante m'en est restée, qui me fait encore frissonner.

20 août.

Le tuer, comment ? puisque je ne peux l'atteindre ? Le poison ? mais il me verrait le mêler à l'eau ; et nos poisons, d'ailleurs, auraient-ils un effet sur son corps imperceptible ? Non... non... sans aucun doute... Alors ?... alors ?...

21 août.

J'ai fait venir un serrurier de Rouen et lui ai commandé pour ma chambre des persiennes[1] de fer, comme en ont, à Paris, certains hôtels particuliers, au rez-de-chaussée, par crainte des voleurs. Il me fera, en outre, une porte pareille. Je me suis donné pour[2] un poltron, mais je m'en moque !...

....

10 septembre.

Rouen, hôtel Continental. C'est fait... c'est fait... mais est-il mort ? J'ai l'âme bouleversée de ce que j'ai vu.

Hier donc, le serrurier ayant posé ma persienne et ma porte de fer, j'ai laissé tout ouvert, jusqu'à minuit, bien qu'il commençât à faire froid.

Tout à coup, j'ai senti qu'il était là, et une joie, une joie folle m'a saisi. Je me suis levé lentement, et j'ai marché à droite, à gauche, longtemps pour qu'il ne devinât rien ; puis j'ai ôté mes bottines et mis mes savates avec négligence ; puis j'ai fermé ma persienne de fer, et revenant à pas tranquilles vers la porte, j'ai fermé la porte aussi à double tour. Retournant alors vers la fenêtre, je la fixai par un cadenas, dont je mis la clef dans ma poche.

Tout à coup, je compris qu'il s'agitait autour de moi, qu'il avait peur à son tour, qu'il m'ordonnait de lui ouvrir. Je faillis céder ; je ne cédai pas, mais m'adossant à la porte, je l'entrebâillai, tout juste assez pour passer, moi, à reculons ; et comme je suis très grand ma tête touchait au linteau[3]. J'étais sûr qu'il n'avait pu s'échapper et je l'enfermai, tout seul, tout seul. Quelle joie ! Je le tenais ! Alors, je descendis, en courant ; je pris dans mon salon, sous ma chambre, mes deux lampes et je renversai toute l'huile sur le tapis, sur les meubles, partout ; puis j'y mis le feu, et je me sauvai, après avoir bien refermé, à double tour, la grande porte d'entrée. Et j'allai me cacher au fond de mon jardin, dans un massif de lauriers. Comme ce fut long ! comme ce fut long ! Tout était noir, muet, immobile ; pas un souffle d'air, pas une étoile, des montagnes de nuages qu'on ne voyait point, mais qui pesaient sur mon âme si lourds, si lourds.

---

1. **Persiennes :** volets.
2. **Je me suis donné pour :** je suis passé pour.
3. **Linteau :** pièce (de bois, de pierre…) horizontale qui ferme la partie supérieure d'une porte.

875 Je regardais ma maison, et j'attendais. Comme ce fut long ! Je croyais déjà que le feu s'était éteint tout seul, ou qu'il l'avait éteint, Lui, quand une des fenêtres d'en bas creva sous la poussée de l'incendie, et une flamme, une grande flamme rouge et jaune, longue, molle, caressante, monta le long du mur blanc et le baisa
880 jusqu'au toit. Une lueur courut dans les arbres, dans les branches, dans les feuilles, et un frisson, un frisson de peur aussi. Les oiseaux se réveillaient ; un chien se mit à hurler ; il me sembla que le jour se levait ! Deux autres fenêtres éclatèrent aussitôt, et je vis que tout le bas de ma demeure n'était plus qu'un effrayant brasier. Mais un
885 cri, un cri horrible, suraigu, déchirant, un cri de femme passa dans la nuit, et deux mansardes s'ouvrirent ! J'avais oublié mes domestiques ! Je vis leurs faces affolées, et leurs bras qui s'agitaient !...
Alors, éperdu d'horreur, je me mis à courir vers le village en hurlant : « Au secours ! au secours ! au feu ! au feu ! » Je rencontrai des
890 gens qui s'en venaient déjà et je retournai avec eux, pour voir.
La maison, maintenant, n'était plus qu'un bûcher horrible et magnifique, un bûcher monstrueux, éclairant toute la terre, un bûcher où brûlaient des hommes, et où il brûlait aussi, Lui, Lui, mon prisonnier, l'Être nouveau, le nouveau maître, le Horla !
895 Soudain le toit tout entier s'engloutit entre les murs et un volcan de flammes jaillit jusqu'au ciel. Par toutes les fenêtres ouvertes sur la fournaise, je voyais la cuve de feu, et je pensais qu'il était là, dans ce four, mort...
« Mort ? Peut-être ?... Son corps ? son corps que le jour traversait
900 n'était-il pas indestructible par les moyens qui tuent les nôtres ?
« S'il n'était pas mort ?... seul peut-être le temps a prise sur l'Être Invisible et Redoutable. Pourquoi ce corps transparent, ce corps inconnaissable, ce corps d'Esprit, s'il devait craindre, lui aussi, les maux, les blessures, les infirmités, la destruction prématurée ?
905 « La destruction prématurée ? toute l'épouvante humaine vient d'elle ! Après l'homme, le Horla. – Après celui qui peut mourir tous les jours, à toutes les heures, à toutes les minutes, par tous les accidents, est venu celui qui ne doit mourir qu'à son jour, à son heure, à sa minute, parce qu'il a touché la limite de son existence !
910 « Non... non... sans aucun doute, sans aucun doute... il n'est pas mort... Alors... alors... il va donc falloir que je me tue, moi !... »

....

Illustration du *Horla* par William Julian-Damazy.
Gravure sur bois de Georges Lemoine. Édition de 1908.

un bûcher monstrueux éclairant toute la terre, un bûcher où brûlaient des hommes, et où il brûlait aussi Lui Lui, mon Prisonnier, l'Être nouveau, le Nouveau Maître,

le Horla

Soudain le toit s'engloutit entre les murs, et un volcan de flammes jaillit jusqu'au ciel. Par toutes les fenêtres ouvertes

Sur la fournaise

je voyais la cuve de feu. Et je pensais qu'il était là, dans ce four — mort......

— mort ? Peut - être ?..... Son corps ? Son corps que le jour traversait n'était-il pas indestructible par les moyens qui tuent les nôtres ? S'il n'était pas mort ? Seul peut-être le temps a prise sur l'Être Invisible et Redoutable. Pourquoi ce corps transparent, ce corps inconnaissable, ce corps d'Esprit, s'il devait craindre lui aussi, les maux, les blessures, les infirmités, la destruction prématurée ?

La destruction prématurée ? Toute l'épouvante humaine vient d'elle ! Après l'Homme le Horla — Après celui qui peut mourir tous les jours, à toutes les heures, à toutes les minutes, par tous les accidents, celui qui ne doit mourir qu'à son jour, à son heure, à sa minute, parcequ'il a touché la limite de son existence !

Non.... non.... sans doute..... sans aucun doute.... il n'est pas mort... alas.... alas.... il va falloir que.... que je me tue.... moi !

Fin

Dernière page manuscrite du *Horla*.

53

Clefs d'analyse

Action et personnages

1. Comparez la journée du 2 août avec celle du début, le 8 mai. Qu'y a-t-il d'implicite dans le « Rien de nouveau » ?

2. Après le mont Saint-Michel et Paris, le narrateur fait un dernier voyage. En quoi est-il différent des deux premiers ?

3. Quelles sont les caractéristiques du Horla ? À quoi ressemble-t-il ? Quels sont ses goûts ? Comment se comporte-t-il ?

4. Est-ce un être inquiétant ou non ? Justifiez votre réponse.

5. Expliquez le nom de « Horla » que lui donne le narrateur.

6. Que sait-on en définitive sur le narrateur ? (nom, physique, milieu social, caractère).

Langue

7. Comment se manifeste la peur du narrateur dans le premier paragraphe du 6 août ?

8. Expliquez l'expression « un halluciné raisonnant » (p. 40, l. 541). De quelle figure de style s'agit-il ? Comment cette idée est-elle développée dans le passage depuis « Je me demande si je suis fou » jusqu'à « se trouve engourdie chez moi en ce moment » ?

9. De quelles façons est nommé le Horla dans les journées du 14 et 15 août ? Relevez les pronoms personnels, indéfinis, les noms et les groupes nominaux.

10. Relevez les connecteurs logiques de la journée du 15 août. Expliquez le raisonnement du narrateur.

Genre et thèmes

11. À partir du 17 août, quelle explication le narrateur trouve-t-il à son mal ? Quels éléments paraissent confirmer son interprétation ? Dans quel genre de récit trouve-t-on le type de personnage auquel il fait allusion ?

12. De quelle autre façon peut s'expliquer le mal-être du narrateur ? Justifiez votre réponse. Le lecteur est-il en position de choisir une explication ou une autre ?

13. Que signifie la ligne de points qui achève la nouvelle ?

14. Quels ont été vos sentiments à la lecture de cette nouvelle ? Justifiez votre réponse.

Écriture

15. Imaginez une suite à la nouvelle. Vous avez plusieurs solutions. Le narrateur reprend son récit quelques mois ou quelques années plus tard. Ou bien, un autre narrateur prend le relais (la cousine du narrateur, le docteur Parent par exemple).

16. Vous êtes harcelé par un être invisible spirituel et facétieux qui vous cause des ennuis. Vous parvenez finalement à vous en débarrasser en lui jouant un bon tour. Vous racontez votre histoire à un ami incrédule.

Pour aller plus loin

17. Cette nouvelle fait référence à plusieurs thèmes propres au fantastique : celui du vampire qui s'empare la nuit de la substance des vivants pour s'en nourrir (voir le 4 juillet), celui des objets qui prennent vie (la rose cueillie, les pages du livre qui se tournent), celui du double (le Horla prend la place du narrateur dans son fauteuil). Recherchez des récits fantastiques dans lesquels vous trouverez ces thèmes.

18. Cherchez des récits de science-fiction dans lesquels des extra-terrestres envahissent la terre pour faire des hommes leurs esclaves. Vous penserez à des livres et à des films.

✳ À retenir

Le récit fantastique développe des thèmes spécifiques parmi lesquels, ceux du vampire, de l'objet animé, du double. Le lecteur hésite entre deux solutions : le narrateur est fou ou le Horla existe « vraiment ». La première ne remet pas en question les lois de notre monde réel, la seconde entraîne le lecteur dans un univers régi par des lois inconnues.

Lettre d'un fou

Mon cher docteur, je me mets entre vos mains. Faites de moi ce qu'il vous plaira.

Je vais vous dire bien franchement mon étrange état d'esprit, et vous apprécierez s'il ne vaudrait pas mieux qu'on prît soin de moi pendant
5 quelque temps dans une maison de santé plutôt que de me laisser en proie aux hallucinations et aux souffrances qui me harcèlent.

Voici l'histoire, longue et exacte, du mal singulier de mon âme.

Je vivais comme tout le monde, regardant la vie avec les yeux ouverts et aveugles de l'homme, sans m'étonner et sans com-
10 prendre. Je vivais comme vivent les bêtes, comme nous vivons tous, accomplissant toutes les fonctions de l'existence, examinant et croyant voir, croyant savoir, croyant connaître ce qui m'entoure, quand, un jour, je me suis aperçu que tout est faux.

C'est une phrase de Montesquieu[1] qui a éclairé brusquement
15 ma pensée. La voici : « Un organe de plus ou de moins dans notre machine nous aurait fait une autre intelligence.

... Enfin toutes les lois établies sur ce que notre machine[2] est d'une certaine façon seraient différentes si notre machine n'était pas de cette façon. »
20 J'ai réfléchi à cela pendant des mois, des mois et des mois, et, peu à peu, une étrange clarté est entrée en moi, et cette clarté y a fait la nuit.

En effet, nos organes sont les seuls intermédiaires entre le monde extérieur et nous. C'est-à-dire que l'être intérieur, qui constitue *le*
25 *moi*, se trouve en contact, au moyen de quelques filets nerveux, avec l'être extérieur qui constitue le monde.

Or, outre que cet être extérieur nous échappe par ses propor-
tions, sa durée, ses propriétés innombrables et impénétrables, ses origines, son avenir ou ses fins, ses formes lointaines et ses mani-
30 festations infinies, nos organes ne nous fournissent encore sur la

---

1. **Montesquieu :** philosophe des Lumières (1689-1755). La phrase citée est extraite d'un *Essai sur le goût*.
2. **Notre machine :** notre organisme.

parcelle de lui que nous pouvons connaître que des renseignements aussi incertains que peu nombreux.

Incertains, parce que ce sont uniquement les propriétés de nos organes qui déterminent pour nous les propriétés apparentes de la
35 matière.

Peu nombreux, parce que nos sens n'étant qu'au nombre de cinq, le champ de leurs investigations et la nature de leurs révélations se trouvent fort restreints.

Je m'explique. – L'œil nous indique les dimensions, les formes et
40 les couleurs. Il nous trompe sur ces trois points.

Il ne peut nous révéler que les objets et les êtres de dimension moyenne, en proportion avec la taille humaine, ce qui nous a amenés à appliquer le mot grand à certaines choses et le mot petit à certaines autres, uniquement parce que sa faiblesse ne lui permet
45 pas de connaître ce qui est trop vaste ou trop menu pour lui. D'où il résulte qu'il ne sait et ne voit presque rien, que l'univers presque entier lui demeure caché, l'étoile qui habite l'espace et l'animalcule[1] qui habite la goutte d'eau.

S'il avait même cent millions de fois sa puissance normale, s'il
50 apercevait dans l'air que nous respirons toutes les races d'êtres invisibles, ainsi que les habitants des planètes voisines, il existerait encore des nombres infinis de races de bêtes plus petites et des mondes tellement lointains qu'il ne les atteindrait pas.

Donc toutes nos idées de proportion sont fausses puisqu'il n'y a
55 pas de limite possible dans la grandeur ni dans la petitesse.

Notre appréciation sur les dimensions et les formes n'a aucune valeur absolue, étant déterminée uniquement par la puissance d'un organe et par une comparaison constante avec nous-mêmes.

Ajoutons que l'œil est encore incapable de voir le transparent.
60 Un verre sans défaut le trompe. Il le confond avec l'air qu'il ne voit pas non plus.

Passons à la couleur.

La couleur existe parce que notre œil est constitué de telle sorte qu'il transmet au cerveau, sous forme de couleur, les diver-
65 ses façons dont les corps absorbent et décomposent, suivant leur constitution chimique, les rayons lumineux qui les frappent.

---

1. **Animalcule :** animal microscopique.

Toutes les proportions de cette absorption et de cette décomposition constituent les nuances.

Donc cet organe impose à l'esprit sa manière de voir, ou mieux sa façon arbitraire de constater les dimensions et d'apprécier les rapports de la lumière et de la matière.

Examinons l'ouïe.

Plus encore qu'avec l'œil, nous sommes les jouets et les dupes de cet organe fantaisiste.

Deux corps se heurtant produisent un certain ébranlement de l'atmosphère. Ce mouvement fait tressaillir dans notre oreille une certaine petite peau qui change immédiatement en bruit ce qui n'est, en réalité, qu'une vibration.

La nature est muette. Mais le tympan possède la propriété miraculeuse de nous transmettre sous forme de sens, et de sens différents suivant le nombre des vibrations, tous les frémissements des ondes invisibles de l'espace.

Cette métamorphose accomplie par le nerf auditif dans le court trajet de l'oreille au cerveau nous a permis de créer un art étrange, la musique, le plus poétique et le plus précis des arts, vague comme un songe et exact comme l'algèbre.

Que dire du goût et de l'odorat ? Connaîtrions-nous les parfums et la qualité des nourritures sans les propriétés bizarres de notre nez et de notre palais ?

L'humanité pourrait exister cependant sans l'oreille, sans le goût et sans l'odorat, c'est-à-dire sans aucune notion du bruit, de la saveur et de l'odeur.

Donc, si nous avions quelques organes de moins, nous ignorerions d'admirables et singulières choses, mais si nous avions quelques organes de plus, nous découvririons autour de nous une infinité d'autres choses que nous ne soupçonnerons jamais faute de moyen de les constater.

Donc, nous nous trompons en jugeant le Connu, et nous sommes entourés d'Inconnu inexploré.

Donc, tout est incertain et appréciable de manières différentes.

Tout est faux, tout est possible, tout est douteux.

Formulons cette certitude en nous servant du vieux dicton : « Vérité en deçà des Pyrénées, erreur au-delà. »

Et disons : vérité dans notre organe, erreur à côté.

Deux et deux ne doivent plus faire quatre en dehors de notre atmosphère.

Vérité sur la terre, erreur plus loin, d'où je conclus que les mystères entrevus comme l'électricité, le sommeil hypnotique, la transmission de la volonté, la suggestion, tous les phénomènes magnétiques, ne nous demeurent cachés, que parce que la nature ne nous a pas fourni l'organe, ou les organes nécessaires pour les comprendre.

Après m'être convaincu que tout ce que me révèlent mes sens n'existe que pour moi tel que je le perçois et serait totalement différent pour un autre être autrement organisé, après en avoir conclu qu'une humanité diversement faite aurait sur le monde, sur la vie, sur tout, des idées absolument opposées aux nôtres, car l'accord des croyances ne résulte que de la similitude des organes humains, et les divergences d'opinions ne proviennent que des légères différences de fonctionnement de nos filets nerveux, j'ai fait un effort de pensée surhumain pour soupçonner l'impénétrable qui m'entoure.

Suis-je devenu fou ?

Je me suis dit : « Je suis enveloppé de choses inconnues. » J'ai supposé l'homme sans oreilles et soupçonnant le son comme nous soupçonnons tant de mystères cachés, l'homme constatant des phénomènes acoustiques dont il ne pourrait déterminer ni la nature, ni la provenance. Et j'ai eu peur de tout, autour de moi, peur de l'air, peur de la nuit. Du moment que nous ne pouvons connaître presque rien, et du moment que tout est sans limites, quel est le reste ? Le vide n'est pas ? Qu'y a-t-il dans le vide apparent ?

Et cette terreur confuse du surnaturel qui hante l'homme depuis la naissance du monde est légitime puisque le surnaturel n'est pas autre chose que ce qui nous demeure voilé !

Alors j'ai compris l'épouvante. Il m'a semblé que je touchais sans cesse à la découverte d'un secret de l'univers.

J'ai tenté d'aiguiser mes organes, de les exciter, de leur faire percevoir par moments l'invisible.

Je me suis dit : « Tout est un être. Le cri qui passe dans l'air est un être comparable à la bête puisqu'il naît, produit un mouvement, se transforme encore pour mourir. Or, l'esprit craintif qui croit à des êtres incorporels n'a donc pas tort. Qui sont-ils ? »

Combien d'hommes les pressentent, frémissent à leur approche, tremblent à leur inappréciable contact. On les sent auprès de soi,
145 autour de soi, mais on ne les peut distinguer, car nous n'avons pas l'œil qui les verrait, ou plutôt l'organe inconnu qui pourrait les découvrir.

Alors, plus que personne, je les sentais, moi, ces passants surnaturels. Êtres ou mystères ? Le sais-je ? Je ne pourrais dire ce qu'ils
150 sont, mais je pourrais toujours signaler leur présence. Et j'ai vu – j'ai vu un être invisible – autant qu'on peut les voir, ces êtres.

Je demeurais des nuits entières immobile, assis devant ma table, la tête dans mes mains et songeant à cela, songeant à eux. Souvent j'ai cru qu'une main intangible[1], ou plutôt qu'un corps insaisis-
155 sable, m'effleurait légèrement les cheveux. Il ne me touchait pas, n'étant point d'essence charnelle, mais d'essence impondérable[2], inconnaissable.

Or, un soir, j'ai entendu craquer mon parquet derrière moi. Il a craqué d'une façon singulière. J'ai frémi. Je me suis tourné. Je n'ai
160 rien vu. Et je n'y ai plus songé.

Mais le lendemain, à la même heure, le même bruit s'est produit. J'ai eu tellement peur que je me suis levé, sûr, sûr, sûr, que je n'étais pas seul dans ma chambre. On ne voyait rien pourtant. L'air était limpide, transparent partout. Mes deux lampes éclairaient
165 tous les coins.

Le bruit ne recommença pas et je me calmai peu à peu ; je restais inquiet cependant, je me retournais souvent.

Le lendemain je m'enfermai de bonne heure, cherchant comment je pourrais parvenir à voir l'Invisible qui me visitait.
170 Et je l'ai vu. J'en ai failli mourir de terreur.

J'avais allumé toutes les bougies de ma cheminée et de mon lustre. La pièce était éclairée comme pour une fête. Mes deux lampes brûlaient sur ma table.

En face de moi, mon lit, un vieux lit de chêne à colonnes.
175 À droite, ma cheminée. À gauche, ma porte que j'avais fermée au verrou. Derrière moi, une très grande armoire à glace. Je me regardai dedans. J'avais des yeux étranges et les pupilles très dilatées.

---

1. **Intangible :** qu'on ne peut pas toucher.
2. **Impondérable :** qu'il est impossible d'apprécier, de comprendre.

Puis je m'assis comme tous les jours.

Le bruit s'était produit, la veille et l'avant-veille, à neuf heures
vingt-deux minutes. J'attendis. Quand arriva le moment précis, je
perçus une indescriptible sensation, comme si un fluide, un fluide
irrésistible eût pénétré en moi par toutes les parcelles de ma chair,
noyant mon âme dans une épouvante atroce et bonne. Et le cra-
quement se fit, tout contre moi.

Je me dressai en me tournant si vite que je faillis tomber. On y
voyait comme en plein jour, et je ne me vis pas dans la glace ! Elle
était vide, claire, pleine de lumière. Je n'étais pas dedans, et j'étais
en face, cependant. Je la regardais avec des yeux affolés. Je n'osais
pas aller vers elle, sentant bien qu'il était entre nous, lui, l'Invisible,
et qu'il me cachait.

Oh ! comme j'eus peur ! Et voilà que je commençai à m'apercevoir dans une brume au fond du miroir, dans une brume comme à
travers de l'eau ; et il me semblait que cette eau glissait de gauche
à droite, lentement, me rendant plus précis de seconde en seconde.
C'était comme la fin d'une éclipse. Ce qui me cachait n'avait pas
de contours, mais une sorte de transparence opaque s'éclaircissant
peu à peu.

Et je pus enfin me distinguer nettement, ainsi que je le fais tous
les jours en me regardant.

Je l'avais donc vu !

Et je ne l'ai pas revu.

Mais je l'attends sans cesse, et je sens que ma tête s'égare dans
cette attente.

Je reste pendant des heures, des nuits, des jours, des semaines,
devant ma glace, pour l'attendre ! Il ne vient plus.

Il a compris que je l'avais vu. Mais moi je sens que je l'attendrai
toujours, jusqu'à la mort, que je l'attendrai sans repos, devant cette
glace, comme un chasseur à l'affût.

Et, dans cette glace, je commence à voir des images folles, des
monstres, des cadavres hideux, toutes sortes de bêtes effroyables,
d'êtres atroces, toutes les visions invraisemblables qui doivent
hanter l'esprit des fous.

Voilà ma confession, mon cher docteur. Dites-moi ce que je dois
faire ?

17 février 1885.

Clefs d'analyse

Action et personnages

1. À qui est destinée cette lettre ? Quels indices vous permettent de donner une réponse assez précise ?

2. Dans le passage « Je vivais comme tout le monde [...] je me suis aperçu que tout est faux » (p. 56, l. 8-13), observez les répétitions, les champs lexicaux, les temps des verbes. Comment le narrateur perçoit-il la vie qu'il menait autrefois ? Comment considère-t-il les hommes en général ?

3. Reformulez la phrase de Montesquieu (p. 56) avec vos mots pour la rendre plus facilement compréhensible.

4. Dans le passage suivant « En effet, nos organes...se trouvent fort restreints » (p. 56-57, l. 23-38), appréciez la logique du raisonnement du narrateur. Que peut-on en déduire sur lui ?

5. Que pensez-vous de la conclusion suivante du narrateur : « Donc, nous nous trompons en jugeant le Connu, et nous sommes entourés d'Inconnu inexploré » (p. 58, l. 98-99) ? Peut-on dire qu'elle est erronée ou bien a-t-il raison ? Pensez au domaine spatial ou à celui de la génétique.

6. Comment le narrateur passe-t-il progressivement de la raison à quelque chose qui ressemble à la folie ? Distinguez plusieurs étapes.

7. Qui a pu donner le titre « Lettre d'un fou » ?

Langue

8. Cherchez dans le dictionnaire l'étymologie du mot « psychiatrie ». Remplacez l'expression « mal singulier de mon âme » (p. 56, l. 7) par une expression équivalente moderne.

9. Qu'est-ce qu'une « confession » ? Pourquoi le narrateur emploie-t-il ce mot dans la dernière phrase de sa lettre ?

10. Expliquez l'expression « cette clarté y a fait la nuit » (p. 56, l. 21-22). Quelle est la figure de style ?

11. Quel connecteur logique emploie le narrateur à plusieurs reprises en tête de phrase ? Quel rôle a ce connecteur ?

12. Dans le passage « Suis-je devenu fou ? [...] d'un secret de l'univers »
    (p. 59, l. 123-136), relevez le champ lexical de la peur. Trouvez
    d'autres mots qui appartiennent à ce champ lexical.

Genre et thème

13. La « Lettre d'un fou » écrite en 1885 est une première ébauche
    du « Horla ». Quels sont les points communs et les principales
    différences entre les deux nouvelles ?

14. Qu'est-ce qui manque à cette lettre au début et à la fin ?
    Comment peut-on l'expliquer ?

15. Quel est l'intérêt d'avoir choisi le genre épistolaire pour raconter
    cette histoire ?

Écriture

16. Imaginez un récit encadrant dont ce texte serait le récit encadré.
    Vous inventerez un narrateur (le médecin par exemple) qui présente
    cette lettre à un public (un ami, des étudiants en médecine). À la fin
    du récit, le lecteur doit savoir ce qu'est devenu le « fou ».

17. Le personnage de la « Lettre d'un fou » et celui du « Horla »,
    qui ont eu des expériences similaires, échangent une
    correspondance. Rédigez deux de ces lettres.

Pour aller plus loin

18. Faites des recherches sur le genre épistolaire. Trouvez
    des écrivains ou des personnages dont la correspondance
    réelle a été publiée. Cherchez d'autre part des titres de romans
    épistolaires. Quels en sont les auteurs ?

19. On trouve aussi le thème de la lettre dans la peinture. Cherchez
    quelques tableaux sur ce thème.

> ## ✳ À retenir
>
> On parle de genre épistolaire pour des ouvrages
> composés de lettres réelles ou fictives. Dans un roman
> épistolaire, l'histoire progresse grâce aux échanges
> de lettres entre les différents personnages.

Conte de Noël

Le docteur Bonenfant cherchait dans sa mémoire, répétant à mi-voix : « Un souvenir de Noël ?... Un souvenir de Noël ?... »

Et tout à coup, il s'écria :

– Mais si, j'en ai un, et un bien étrange encore ; c'est une histoire
5 fantastique. J'ai vu un miracle ! Oui, mesdames, un miracle, la nuit de Noël.

Cela vous étonne de m'entendre parler ainsi, moi qui ne crois guère à rien. Et pourtant j'ai vu un miracle ! Je l'ai vu, fis-je, vu, de mes propres yeux vu, ce qui s'appelle vu.

10 En ai-je été fort surpris ? non pas ; car si je ne crois point à vos croyances, je crois à la foi, et je sais qu'elle transporte les montagnes. Je pourrais citer bien des exemples ; mais je vous indignerais et je m'exposerais aussi à amoindrir l'effet de mon histoire.

Je vous avouerai d'abord que si je n'ai pas été fort convaincu
15 et converti par ce que j'ai vu, j'ai été du moins fort ému, et je vais tâcher de vous dire la chose naïvement, comme si j'avais une crédulité d'Auvergnat.

J'étais alors médecin de campagne, habitant le bourg de Rolleville, en pleine Normandie.

20 L'hiver, cette année-là, fut terrible. Dès la fin de novembre, les neiges arrivèrent après une semaine de gelées. On voyait de loin les gros nuages venir du nord ; et la blanche descente des flocons commença.

En une nuit, toute la plaine fut ensevelie.

25 Les fermes, isolées dans leurs cours carrées, derrière leurs rideaux de grands arbres poudrés de frimas[1], semblaient s'endormir sous l'accumulation de cette mousse épaisse et légère.

Aucun bruit ne traversait plus la campagne immobile. Seuls les corbeaux, par bandes, décrivaient de longs festons[2] dans le ciel,
30 cherchant leur vie inutilement, s'abattant tous ensemble sur les champs livides et piquant la neige de leurs grands becs.

---

1. **Frimas :** nom masculin qui désigne du givre.
2. **Festons :** zigzags.

On n'entendait rien que le glissement vague et continu de cette poussière tombant toujours.

Cela dura huit jours pleins, puis l'avalanche s'arrêta. La terre avait sur le dos un manteau épais de cinq pieds.

Et, pendant trois semaines ensuite, un ciel clair, comme un cristal bleu le jour, et, la nuit, tout semé d'étoiles qu'on aurait crues de givre, tant le vaste espace était rigoureux, s'étendit sur la nappe unie, dure et luisante des neiges.

La plaine, les haies, les ormes des clôtures, tout semblait mort, tué par le froid. Ni hommes ni bêtes ne sortaient plus : seules les cheminées des chaumières en chemise blanche révélaient la vie cachée, par les minces filets de fumée qui montaient droit dans l'air glacial.

De temps en temps on entendait craquer les arbres, comme si leurs membres de bois se fussent brisés sous l'écorce ; et, parfois, une grosse branche se détachait et tombait, l'invincible gelée pétrifiant la sève et cassant les fibres.

Les habitations semées çà et là par les champs semblaient éloignées de cent lieues les unes des autres. On vivait comme on pouvait. Seul, j'essayais d'aller voir mes clients les plus proches, m'exposant sans cesse à rester enseveli dans quelque creux.

Je m'aperçus bientôt qu'une terreur mystérieuse planait sur le pays. Un tel fléau, pensait-on, n'était point naturel. On prétendit qu'on entendait des voix la nuit, des sifflements aigus, des cris qui passaient.

Ces cris et ces sifflements venaient sans aucun doute des oiseaux émigrants qui voyagent au crépuscule, et qui fuyaient en masse vers le sud. Mais allez donc faire entendre raison à des gens affolés. Une épouvante envahissait les esprits et on s'attendait à un événement extraordinaire.

La forge du père Vatinel était située au bout du hameau d'Épivent, sur la grande route, maintenant invisible et déserte. Or, comme les gens manquaient de pain, le forgeron résolut d'aller jusqu'au village. Il resta quelques heures à causer dans les six maisons qui forment le centre du pays, prit son pain et des nouvelles, et un peu de cette peur épandue sur la campagne.

Et il se mit en route avant la nuit.

Tout à coup, en longeant une haie, il crut voir un œuf dans la neige ; oui, un œuf déposé là, tout blanc comme le reste du

70 monde. Il se pencha, c'était un œuf en effet. D'où venait-il ? Quelle poule avait pu sortir du poulailler et venir pondre en cet endroit ? Le forgeron s'étonna, ne comprit pas ; mais il ramassa l'œuf et le porta à sa femme.

« Tiens, la maîtresse, v'là un œuf que j'ai trouvé sur la route ! »

75 La femme hocha la tête :

« Un œuf sur la route ? Par ce temps-ci, t'es soûl, bien sûr ?

- Mais non, la maîtresse, même qu'il était au pied d'une haie, et encore chaud, pas gelé. Le v'là, j'me l'ai mis sur l'estomac pour qui n'refroidisse pas. Tu le mangeras pour ton dîner. »

80 L'œuf fut glissé dans la marmite où mijotait la soupe, et le forgeron se mit à raconter ce qu'on disait par la contrée.

La femme écoutait toute pâle. « Pour sûr que j'ai entendu des sifflets l'autre nuit, même qu'ils semblaient v'nir de la cheminée. »

On se mit à table, on mangea la soupe d'abord, puis, pendant

85 que le mari étendait du beurre sur son pain, la femme prit l'œuf et l'examina d'un œil méfiant.

« Si y avait quique chose dans c't'œuf ?

– Qué que tu veux qu'y ait ?

– J'sais ti, mé ?

90 – Allons, mange-le, et fais pas la bête. »

Elle ouvrit l'œuf. Il était comme tous les œufs, et bien frais.

Elle se mit à le manger en hésitant, le goûtant, le laissant, le reprenant. Le mari disait : « Eh bien ! qué goût qu'il a, c't'œuf ? »

Elle ne répondit pas et elle acheva de l'avaler ; puis, soudain,

95 elle planta sur son homme des yeux fixes, hagards, affolés, leva les bras, les tordit et, convulsée de la tête aux pieds, roula par terre, en poussant des cris horribles.

Toute la nuit elle se débattit en des spasmes[1] épouvantables, secouée de tremblements effrayants, déformée par de hideuses

100 convulsions. Le forgeron, impuissant à la tenir, fut obligé de la lier.

Et elle hurlait sans repos, d'une voix infatigable :

« J'l'ai dans l'corps ! J'l'ai dans l'corps ! »

Je fus appelé le lendemain. J'ordonnai tous les calmants connus sans obtenir le moindre résultat. Elle était folle.

---

1. **Spasmes :** contractions involontaires des muscles. Convulsions.

105   Alors, avec une incroyable rapidité, malgré l'obstacle des hautes neiges, la nouvelle, une nouvelle étrange, courut de ferme en ferme : « La femme au forgeron qu'est possédée[1] ! » Et on venait de partout, sans oser pénétrer dans la maison ; on écoutait de loin ses cris affreux poussés d'une voix si forte qu'on ne les aurait pas crus 110 d'une créature humaine.

    Le curé du village fut prévenu. C'était un vieux prêtre naïf. Il accourut en surplis[2] comme pour administrer un mourant[3] et il prononça, en étendant les mains, les formules d'exorcisme[4], pendant que quatre hommes maintenaient sur un lit la femme écu-115 mante et tordue.

    Mais l'esprit ne fut point chassé.

    Et la Noël arriva sans que le temps eût changé.

    La veille au matin, le prêtre vint me trouver :

    « J'ai envie, dit-il, de faire assister à l'office de cette nuit cette 120 malheureuse. Peut-être Dieu fera-t-il un miracle en sa faveur, à l'heure même où il naquit d'une femme. »

    Je répondis au curé :

    « Je vous approuve absolument, monsieur l'abbé. Si elle a l'esprit frappé par la cérémonie (et rien n'est plus propice à l'émouvoir), 125 elle peut être sauvée sans autre remède. »

    Le vieux prêtre murmura :

    « Vous n'êtes pas croyant, docteur, mais aidez-moi, n'est-ce pas ? Vous vous chargez de l'amener ? »

    Et je lui promis mon aide.

130   Le soir vint, puis la nuit ; et la cloche de l'église se mit à sonner, jetant sa voix plaintive à travers l'espace morne, sur l'étendue blanche et glacée des neiges.

    Des êtres noirs s'en venaient lentement, par groupes, dociles au cri d'airain[5] du clocher. La pleine lune éclairait d'une lueur vive et

---

1. **Possédée :** se dit d'une personne dominée par une puissance occulte, le diable par exemple.
2. **Surplis :** vêtement porté par les prêtres.
3. **Administrer un mourant :** donner les derniers sacrements à un mourant.
4. **Exorcisme :** rituel religieux destiné à chasser le diable qui s'est emparé d'une personne.
5. **Airain :** bronze, métal dans lequel sont coulées les cloches.

135 blafarde tout l'horizon, rendait plus visible la pâle désolation des champs.

J'avais pris quatre hommes robustes et je me rendis à la forge.

La possédée hurlait toujours, attachée à sa couche. On la vêtit proprement malgré sa résistance éperdue, et on l'emporta.

140 L'église était maintenant pleine de monde, illuminée et froide ; les chantres[1] poussaient leurs notes monotones ; le serpent[2] ronflait ; la petite sonnette de l'enfant de chœur tintait, réglant les mouvements des fidèles.

J'enfermai la femme et ses gardiens dans la cuisine du presby-
145 tère, et j'attendis le moment que je croyais favorable.

Je choisis l'instant qui suit la communion. Tous les paysans, hommes et femmes, avaient reçu leur Dieu pour fléchir sa rigueur. Un grand silence planait pendant que le prêtre achevait le mystère divin.

150 Sur mon ordre, la porte fut ouverte et les quatre aides apportèrent la folle.

Dès qu'elle aperçut les lumières, la foule à genoux, le chœur en feu et le tabernacle[3] doré, elle se débattit d'une telle vigueur, qu'elle faillit nous échapper, et elle poussa des clameurs si aiguës
155 qu'un frisson d'épouvante passa dans l'église ; toutes les têtes se relevèrent ; des gens s'enfuirent.

Elle n'avait plus la forme d'une femme, crispée et tordue en nos mains, le visage contourné, les yeux fous.

On la traîna jusqu'aux marches du chœur et puis on la tint forte-
160 ment accroupie à terre.

Le prêtre s'était levé ; il attendait. Dès qu'il la vit arrêtée, il prit en ses mains l'ostensoir[4] ceint de rayons d'or, avec l'hostie blanche au milieu, et, s'avançant de quelques pas, il l'éleva de ses deux bras tendus au-dessus de sa tête, le présentant aux regards effarés de la
165 Démoniaque.

Elle hurlait toujours, l'œil fixé, tendu sur cet objet rayonnant.

---

1. **Chantres :** chanteurs.
2. **Serpent :** ancien instrument à vent.
3. **Tabernacle :** petite armoire qui contient les hosties consacrées.
4. **Ostensoir :** objet précieux qui contient les hosties consacrées.

Et le prêtre demeurait tellement immobile qu'on l'aurait pris pour une statue.

Et cela dura longtemps, longtemps.

La femme semblait saisie de peur, fascinée ; elle contemplait fixement l'ostensoir, secouée encore de tremblements terribles, mais passagers, et criant toujours, mais d'une voix moins déchirante.

Et cela dura encore longtemps.

On eût dit qu'elle ne pouvait plus baisser les yeux, qu'ils étaient rivés sur l'hostie ; elle ne faisait plus que gémir ; et son corps raidi s'amollissait, s'affaissait.

Toute la foule était prosternée, le front par terre.

La Possédée maintenant baissait rapidement les paupières, puis les relevait aussitôt, comme impuissante à supporter la vue de son Dieu. Elle s'était tue. Et puis soudain, je m'aperçus que ses yeux demeuraient clos. Elle dormait du sommeil des somnambules, hypnotisée, pardon ! vaincue par la contemplation persistante de l'ostensoir aux rayons d'or, terrassée par le Christ victorieux.

On l'emporta, inerte, pendant que le prêtre remontait vers l'autel.

L'assistance, bouleversée, entonna le *Te Deum*[1] d'action de grâces.

Et la femme du forgeron dormit quarante heures de suite, puis se réveilla sans aucun souvenir de la possession ni de la délivrance.

Voilà, mesdames, le miracle que j'ai vu.

Le docteur Bonenfant se tut, puis ajouta d'une voix contrariée : « Je n'ai pu refuser de l'attester par écrit. »

25 décembre 1882.

---

1. *Te Deum :* chant de louange à Dieu.

Clefs d'analyse

Clefs d'analyse

Action et personnages

1. Expliquez le choix du nom du narrateur (le docteur Bonenfant) et le choix de sa profession.

2. À qui s'adresse-t-il ? Cela a-t-il une incidence sur son récit ? Quelle est la position du lecteur ?

3. Comment sont dépeints les villageois ? Observez leur langage, leur comportement.

4. De quelles façons peut s'expliquer l'état de la femme et sa guérison ?

5. Expliquez le titre du conte.

Langue

6. Comment comprenez-vous l'expression : « je ne crois point à vos croyances, je crois à la foi » (p. 64, l. 10-11)?

7. Expliquez les expressions employées par le docteur Bonenfant au début du récit : « c'est une histoire fantastique » et « J'ai vu un miracle ! » (p. 64, l. 4-5)

8. Analysez les temps des verbes du début du conte à « la nuit de Noël » (p. 64, l. 1-6).

9. Relevez le vocabulaire religieux, de : « L'église était maintenant pleine de monde » (p. 68, l. 140) jusqu'à la fin du conte. Cherchez dans le dictionnaire les mots que vous ne connaissez pas. Quel rôle joue ce champ lexical ?

Genre ou thème

10. Étudiez la construction de la nouvelle. Prenez en compte l'introduction et la conclusion du récit par le docteur Bonenfant. Quel rôle jouent ce début et cette fin ? Trouvez les différentes parties du conte de Noël. Comparez l'état initial et l'état final. Quel est l'événement perturbateur ? Quelles sont les actions successives ?

11. « Je vais tâcher de vous dire la chose naïvement, comme si j'avais une crédulité d'auvergnat » (p. 64, l. 15-17). Relevez des phrases

Clefs d'analyse   Conte de Noël

ou des expressions qui montrent que le narrateur n'est pas aussi naïf qu'il le dit.

12. À quel moment le narrateur raconte-t-il des événements auxquels il n'a pas pu assister ? Comment peut-il les connaître ?

Écriture

13. L'assistance qui a réclamé un conte de Noël au docteur Bonenfant réagit à son récit. Imaginez dans un dialogue les propos qu'échangent les personnages. Vous n'oublierez pas que cette histoire peut avoir plusieurs interprétations. Elles seront assumées par des personnages différents que vous vous efforcerez de caractériser brièvement.

14. Racontez l'histoire avec le point de vue du diable qui a pris possession de la femme du forgeron. Comme dans le conte de Maupassant, la structure sera celle du récit encadrant et encadré. Il s'agira d'un récit oral fait à des interlocuteurs que vous imaginerez. Le ton sera humoristique.

Pour aller plus loin

15. Faites des recherches sur le thème de la possession par le diable. Comment étaient traités les possédés ? Trouvez des représentations iconographiques et des documents historiques. Ce thème a-t-il été traité au cinéma ?

✳ À retenir

L'auteur emploie dans cette nouvelle la technique du récit encadrant et du récit encadré. Le récit encadrant est assumé par un premier narrateur, qui fait partie ici de l'auditoire du médecin. Le récit encadré est pris en charge par un deuxième narrateur, le docteur Bonenfant. Le lecteur dispose ainsi de la réaction du premier narrateur (auquel il s'identifie généralement) au récit du second.

Clefs d'analyse

La Chevelure

Les murs de la cellule étaient nus, peints à la chaux. Une fenêtre
étroite et grillée, percée très haut de façon qu'on ne pût pas y
atteindre, éclairait cette petite pièce claire et sinistre ; et le fou,
assis sur une chaise de paille, nous regardait d'un œil fixe, vague
5 et hanté. Il était fort maigre avec des joues creuses et des cheveux
presque blancs qu'on devinait blanchis en quelques mois. Ses
vêtements semblaient trop larges pour ses membres secs, pour sa
poitrine rétrécie, pour son ventre creux. On sentait cet homme
ravagé, rongé par sa pensée, par une Pensée, comme un fruit par
10 un ver. Sa Folie, son idée était là, dans cette tête, obstinée, harce-
lante, dévorante. Elle mangeait le corps peu à peu. Elle, l'Invisible,
l'Impalpable, l'Insaisissable, l'Immatérielle Idée minait la chair,
buvait le sang, éteignait la vie. Quel mystère que cet homme tué
par un Songe ! Il faisait peine, peur et pitié, ce Possédé ! Quel rêve
15 étrange, épouvantable et mortel habitait dans ce front, qu'il plissait
de rides profondes, sans cesse remuantes ?
Le médecin me dit : « Il a de terribles accès de fureur, c'est un des
déments les plus singuliers que j'ai vus. Il est atteint de folie érotique et macabre. C'est une sorte de nécrophile[1]. Il a d'ailleurs écrit
20 son journal qui nous montre le plus clairement du monde la maladie de son esprit. Sa folie y est pour ainsi dire palpable. Si cela vous
intéresse vous pouvez parcourir ce document. » Je suivis le docteur
dans son cabinet, et il me remit le journal de ce misérable homme.
« Lisez, dit-il, et vous me direz votre avis. »
25 Voici ce que contenait ce cahier :
Jusqu'à l'âge de trente-deux ans, je vécus tranquille, sans amour.
La vie m'apparaissait très simple, très bonne et très facile. J'étais
riche. J'avais du goût pour tant de choses que je ne pouvais éprou-
ver de passion pour rien. C'est bon de vivre ! Je me réveillais heu-
30 reux, chaque jour, pour faire des choses qui me plaisaient, et je
me couchais satisfait, avec l'espérance paisible du lendemain et de
l'avenir sans souci.

---

1. **Nécrophile** : qui aime les morts.

J'avais eu quelques maîtresses sans avoir jamais senti mon cœur affolé par le désir ou mon âme meurtrie d'amour après la posses-
35 sion. C'est bon de vivre ainsi. C'est meilleur d'aimer, mais terrible. Encore, ceux qui aiment comme tout le monde doivent-ils éprou-ver un ardent bonheur, moindre que le mien peut-être, car l'amour est venu me trouver d'une incroyable manière.

Étant riche, je recherchais les meubles anciens et les vieux objets ; et
40 souvent je pensais aux mains inconnues qui avaient palpé ces cho-ses, aux yeux qui les avaient admirées, aux cœurs qui les avaient aimées, car on aime les choses ! Je restais souvent pendant des heu-res, des heures et des heures, à regarder une petite montre du siècle dernier. Elle était si mignonne, si jolie, avec son émail et son or
45 ciselé. Et elle marchait encore comme au jour où une femme l'avait achetée dans le ravissement de posséder ce fin bijou. Elle n'avait point cessé de palpiter, de vivre sa vie de mécanique, et elle conti-nuait toujours son tic-tac régulier, depuis un siècle passé. Qui donc l'avait portée la première sur son sein dans la tiédeur des étoffes,
50 le cœur de la montre battant contre le cœur de la femme ? Quelle main l'avait tenue au bout de ses doigts un peu chauds, l'avait tour-née, retournée, puis avait essuyé les bergers de porcelaine ternis une seconde par la moiteur de la peau ? Quels yeux avaient épié sur ce cadran fleuri l'heure attendue, l'heure chérie, l'heure divine ?
55 Comme j'aurais voulu la connaître, la voir, la femme qui avait choisi cet objet exquis et rare ! Elle est morte ! Je suis possédé par le désir des femmes d'autrefois ; j'aime, de loin, toutes celles qui ont aimé ! – L'histoire des tendresses passées m'emplit le cœur de regrets. Oh ! la beauté, les sourires, les caresses jeunes, les espé-
60 rances ! Tout cela ne devrait-il pas être éternel !

Comme j'ai pleuré, pendant des nuits entières, sur les pauvres femmes de jadis, si belles, si tendres, si douces, dont les bras se sont ouverts pour le baiser et qui sont mortes ! Le baiser est immortel, lui ! Il va de lèvre en lèvre, de siècle en siècle, d'âge en âge. – Les hommes le
65 recueillent, le donnent et meurent.

Le passé m'attire, le présent m'effraie parce que l'avenir c'est la mort. Je regrette tout ce qui s'est fait, je pleure tous ceux qui ont vécu ; je voudrais arrêter le temps, arrêter l'heure. Mais elle va, elle va, elle passe, elle me prend de seconde en seconde un peu de moi
70 pour le néant de demain. Et je ne revivrai jamais.

Adieu celles d'hier. Je vous aime.

Mais je ne suis pas à plaindre. Je l'ai trouvée, moi, celle que j'attendais ; et j'ai goûté par elle d'incroyables plaisirs.

75 Je rôdais dans Paris par un matin de soleil, l'âme en fête, le pied joyeux, regardant les boutiques avec cet intérêt vague du flâneur. Tout à coup, j'aperçus chez un marchand d'antiquités un meuble italien du xviie siècle. Il était fort beau, fort rare. Je l'attribuai à un artiste vénitien du nom de Vitelli, qui fut célèbre à cette époque. Puis je passai.

80 Pourquoi le souvenir de ce meuble me poursuivit-il avec tant de force que je revins sur mes pas ? Je m'arrêtai de nouveau devant le magasin pour le revoir, et je sentis qu'il me tentait.

Quelle singulière chose que la tentation ! On regarde un objet et, peu à peu, il vous séduit, vous trouble, vous envahit comme ferait 85 un visage de femme. Son charme entre en vous, charme étrange qui vient de sa forme, de sa couleur, de sa physionomie de chose ; et on l'aime déjà, on le désire, on le veut. Un besoin de possession vous gagne, besoin doux d'abord, comme timide, mais qui s'accroît, devient violent, irrésistible. Et les marchands semblent deviner à la 90 flamme du regard l'envie secrète et grandissante.

J'achetai ce meuble et je le fis porter chez moi tout de suite. Je le plaçai dans ma chambre.

Oh ! je plains ceux qui ne connaissent pas cette lune de miel du collectionneur avec le bibelot qu'il vient d'acheter. On le caresse 95 de l'œil et de la main comme s'il était de chair ; on revient à tout moment près de lui, on y pense toujours, où qu'on aille, quoi qu'on fasse. Son souvenir aimé vous suit dans la rue, dans le monde, partout ; et quand on rentre chez soi, avant même d'avoir ôté ses gants et son chapeau, on va le contempler avec une tendresse d'amant.

100 Vraiment, pendant huit jours, j'adorai ce meuble. J'ouvrai à chaque instant ses portes, ses tiroirs ; je le maniais avec ravissement, goûtant toutes les joies intimes de la possession.

Or, un soir, je m'aperçus, en tâtant l'épaisseur d'un panneau, qu'il devait y avoir là une cachette. Mon cœur se mit à battre, et je pas-105 sai la nuit à chercher le secret sans le pouvoir découvrir.

J'y parvins le lendemain en enfonçant une lame dans une fente de la boiserie. Une planche glissa et j'aperçus, étalée sur un fond de velours noir, une merveilleuse chevelure de femme !

Oui, une chevelure, une énorme natte de cheveux blonds, presque
110 roux, qui avaient dû être coupés contre la peau, et liés par une
corde d'or.
Je demeurai stupéfait, tremblant, troublé ! Un parfum presque
insensible, si vieux qu'il semblait l'âme d'une odeur, s'envolait de
ce tiroir mystérieux et de cette surprenante relique[1].
115 Je la pris, doucement, presque religieusement, et je la tirai de sa
cachette. Aussitôt elle se déroula, répandant son flot doré qui
tomba jusqu'à terre, épais et léger, souple et brillant comme la
queue en feu d'une comète.
Une émotion étrange me saisit. Qu'était-ce que cela ? Quand ?
120 comment ? pourquoi ces cheveux avaient-ils été enfermés dans ce
meuble ? Quelle aventure, quel drame cachait ce souvenir ? Qui
les avait coupés ? un amant, un jour d'adieu ? un mari, un jour de
vengeance ? ou bien celle qui les avait portés sur son front, un jour
de désespoir ?
125 Était-ce à l'heure d'entrer au cloître[2] qu'on avait jeté là cette for-
tune d'amour, comme un gage laissé au monde des vivants ? Était-
ce à l'heure de la clouer dans la tombe, la jeune et belle morte, que
celui qui l'adorait avait gardé la parure de sa tête, la seule chose
qu'il pût conserver d'elle, la seule partie vivante de sa chair qui ne
130 dût point pourrir, la seule qu'il pouvait aimer encore et caresser, et
baiser dans ses rages de douleur ?
N'était-ce point étrange que cette chevelure fût demeurée ainsi,
alors qu'il ne restait plus une parcelle du corps dont elle était née ?
Elle me coulait sur les doigts, me chatouillait la peau d'une caresse
135 singulière, d'une caresse de morte. Je me sentais attendri comme si
j'allais pleurer.
Je la gardai longtemps, longtemps en mes mains, puis il me sembla
qu'elle m'agitait, comme si quelque chose de l'âme fût resté caché
dedans. Et je la remis sur le velours terni par le temps, et je repous-
140 sai le tiroir, et je refermai le meuble, et je m'en allai par les rues
pour rêver.

---

1. **Relique :** objet auquel on voue un véritable culte car il est le vestige d'un passé
très cher.
2. **Entrer au cloître :** entrer dans un couvent.

La Chevelure

J'allais devant moi, plein de tristesse, et aussi plein de trouble, de ce trouble qui vous reste au cœur après un baiser d'amour. Il me semblait que j'avais vécu autrefois déjà, que j'avais dû connaître cette femme.

Et les vers de Villon[1] me montèrent aux lèvres, ainsi qu'y monte un sanglot :

Dictes-moy où, ne en quel pays
Est Flora, la belle Romaine,
Archipiada, ne Thaïs,
Qui fut sa cousine germaine ?
Echo parlant quand bruyt on maine
Dessus rivière, ou sus estan ;
Qui beauté eut plus que humaine ?
Mais où sont les neiges d'antan ?
....

La royne blanche comme un lys
Qui chantoit à voix de sereine,
Berthe au grand pied, Bietris, Allys,
Harembouges qui tint le Mayne,
Et Jehanne la bonne Lorraine
Que Anglais bruslèrent à Rouen ?
Où sont-ils, Vierge souveraine ?
Mais où sont les neiges d'antan ?

Quand je rentrai chez moi, j'éprouvai un irrésistible désir de revoir mon étrange trouvaille ; et je la repris, et je sentis, en la touchant, un long frisson qui me courut dans les membres.

Durant quelques jours, cependant, je demeurai dans mon état ordinaire, bien que la pensée vive de cette chevelure ne me quittât plus. Dès que je rentrais, il fallait que je la visse et que je la maniasse[2]. Je tournais la clef de l'armoire avec ce frémissement

---

1. **Villon :** François Villon, poète français du XVᵉ siècle. Il a écrit la « Ballade des dames du temps jadis » dont le fou retranscrit un extrait dans son journal.
2. **Que je la visse et que je la maniasse :** subjonctif imparfait des verbes « voir » et « manier ».

qu'on a en ouvrant la porte de la bien-aimée, car j'avais aux mains et au cœur un besoin confus, singulier, continu, sensuel de tremper mes doigts dans ce ruisseau charmant de cheveux morts.

Puis, quand j'avais fini de la caresser, quand j'avais refermé le meuble, je la sentais là toujours, comme si elle eût été un être vivant, caché, prisonnier ; je la sentais et je la désirais encore ; j'avais de nouveau le besoin impérieux de la reprendre, de la palper, de m'énerver jusqu'au malaise par ce contact froid, glissant, irritant, affolant, délicieux.

Je vécus ainsi un mois ou deux, je ne sais plus. Elle m'obsédait, me hantait. J'étais heureux et torturé, comme dans une attente d'amour, comme après les aveux qui précèdent l'étreinte.

Je m'enfermais seul avec elle pour la sentir sur ma peau, pour enfoncer mes lèvres dedans, pour la baiser, la mordre. Je l'enroulais autour de mon visage, je la buvais, je noyais mes yeux dans son onde dorée afin de voir le jour blond, à travers.

Je l'aimais ! Oui, je l'aimais. Je ne pouvais plus me passer d'elle, ni rester une heure sans la revoir.

Et j'attendais... j'attendais... quoi ? Je ne le savais pas ? – Elle.

Une nuit je me réveillai brusquement avec la pensée que je ne me trouvais pas seul dans ma chambre.

J'étais seul pourtant. Mais je ne pus me rendormir ; et comme je m'agitais dans une fièvre d'insomnie, je me levai pour aller toucher la chevelure. Elle me parut plus douce que de coutume, plus animée. Les morts reviennent-ils ? Les baisers dont je la réchauffais me faisaient défaillir de bonheur ; et je l'emportai dans mon lit, et je me couchai, en la pressant sur mes lèvres, comme une maîtresse qu'on va posséder.

Les morts reviennent ! Elle est venue. Oui, je l'ai vue, je l'ai tenue, je l'ai eue, telle qu'elle était vivante autrefois, grande, blonde, grasse, les seins froids, la hanche en forme de lyre ; et j'ai parcouru de mes caresses cette ligne ondulante et divine qui va de la gorge aux pieds en suivant toutes les courbes de la chair.

Oui, je l'ai eue, tous les jours, toutes les nuits. Elle est revenue, la Morte, la belle Morte, l'Adorable, la Mystérieuse, l'Inconnue, toutes les nuits.

Mon bonheur fut si grand, que je ne l'ai pu cacher. J'éprouvais près d'elle un ravissement surhumain, la joie profonde, inexplicable, de

posséder l'Insaisissable, l'Invisible, la Morte ! Nul amant ne goûta
210 des jouissances plus ardentes, plus terribles !

Je n'ai point su cacher mon bonheur. Je l'aimais si fort que je n'ai
plus voulu la quitter. Je l'ai emportée avec moi toujours, partout. Je
l'ai promenée par la ville comme ma femme, et conduite au théâtre
en des loges grillées[1], comme ma maîtresse...

215 Mais on l'a vue... on a deviné... on me l'a prise... Et on m'a jeté dans
une prison, comme un malfaiteur. On l'a prise... Oh ! misère !...

Le manuscrit s'arrêtait là. Et soudain, comme je relevais sur le
médecin des yeux effarés, un cri épouvantable, un hurlement de
fureur impuissante et de désir exaspéré s'éleva dans l'asile.

220 « Écoutez-le, dit le docteur. Il faut doucher cinq fois par jour ce
fou obscène. Il n'y a pas que le sergent Bertrand[2] qui ait aimé les
mortes. »

Je balbutiai, ému d'étonnement, d'horreur et de pitié :

« Mais... cette chevelure... existe-t-elle réellement ? »

225 Le médecin se leva, ouvrit une armoire pleine de fioles et d'ins-
truments et il me jeta, à travers son cabinet, une longue fusée de
cheveux blonds qui vola vers moi comme un oiseau d'or.

Je frémis en sentant sur mes mains son toucher caressant et léger.
Et je restai le cœur battant de dégoût et d'envie, de dégoût comme
230 au contact des objets traînés dans les crimes, d'envie comme
devant la tentation d'une chose infâme et mystérieuse.

Le médecin reprit en haussant les épaules :

« L'esprit de l'homme est capable de tout. »

---

1. **Grillées :** fermées par une grille.
2. **Le sergent Bertrand :** personnage qui a réellement existé. Il a été condamné en 1849 pour avoir violé des tombes et déterré des morts.

Clefs d'analyse

Action et personnages

1. Comment le fou est-il décrit dans le premier paragraphe ? Quel rôle joue cette description au début du récit ?

2. Par quels termes le fou est-il désigné dans le récit encadrant ? Quels adjectifs qualifient sa folie ?

3. Pensez-vous que le fou est parfaitement sain d'esprit avant sa découverte de la chevelure ? Justifiez votre réponse.

4. La description que fait le narrateur de la chevelure privilégie trois des cinq sens. Lesquels ? Justifiez votre réponse. À quel moment un quatrième sens intervient-il ?

5. Relevez les champs lexicaux de l'amour et de la mort dans le passage suivant : « Qui les avait coupés ? » jusqu'à « dans ses rages de douleur ? » (p. 75, l. 121-131). Analysez.

6. Qu'est-ce qui a déclenché l'internement du fou ? Pourquoi ?

Langue

7. Le médecin dit : « Il a d'ailleurs écrit son journal » (p. 72, l. 19-20). Dans quelle mesure peut-on parler de journal dans l'histoire racontée par le fou ?

8. Étudiez la figure de style dans la phrase suivante : « On regarde un objet et, peu à peu, il vous séduit, vous trouble, vous envahit comme ferait un visage de femme » (p. 74, l. 83-85). Comment cette figure est-elle développée dans le reste du paragraphe ? Pourquoi peut-on dire qu'elle est le reflet de la folie du narrateur ?

9. « Dès que je rentrais, il fallait que je la visse et que je la maniasse » (p. 76, l. 169-170). Quel est le temps et le mode de ces deux verbes ? Comment se justifie leur emploi ?

10. Dans le passage suivant : « Je l'aimais ! Oui, je l'aimais [...] Elle » (p. 77, l. 187-189), étudiez la ponctuation. Quel rôle joue-t-elle ?

11. « Mais on l'a vue... on a deviné... on me l'a prise... » (p. 78, l. 215). Donnez la nature et la fonction de ce « on ». Qui peut-il représenter ?

Clefs d'analyse **La Chevelure**

Genre et thème

12. Quels événements surviennent dans la vie du fou qui ne peuvent avoir lieu dans la réalité ?

13. Quelle est la réaction du narrateur du récit encadrant quand il touche la chevelure ?

14. Expliquez la dernière phrase du médecin.

15. En quoi ce récit est-il un récit fantastique ?

Écriture

16. Un objet inanimé prend vie sous vos yeux. Vous raconterez l'histoire dans deux registres différents, comique d'une part, tragique ou pathétique d'autre part.

17. Rédigez un récit fantastique à partir d'un des thèmes caractéristiques du genre. Le lecteur doit hésiter entre deux solutions (voir « À retenir », clefs d'analyse, p. 55).

Pour aller plus loin

18. Lisez « La Morte amoureuse » et « Le Pied de momie » dans *Les Récits fantastiques* de Théophile Gautier. Faites un résumé rapide de ces contes et comparez-les à « La chevelure ».

19. Choisissez un début de roman et observez par quels moyens le personnage principal est présenté au lecteur (description, action, présentation par un autre personnage, dialogue...).

✳ À retenir

Pour caractériser un personnage dans un récit, on peut faire son portrait, le présenter par ses actions, son comportement ou d'autres personnages peuvent parler de lui. Il est aussi caractérisé par son langage. Grâce à sa façon de parler, on connaît son milieu social, son intelligence, son caractère, sa psychologie. L'émotivité du fou, son exaltation se manifestent dans son expression.

Un fou ?

Quand on me dit : « Vous savez que Jacques Parent est mort fou dans une maison de santé », un frisson douloureux, un frisson de peur et d'angoisse me courut le long des os ; et je le revis brusquement, ce grand garçon étrange, fou depuis longtemps peut-être, maniaque[1] inquiétant, effrayant même.

C'était un homme de quarante ans, haut, maigre, un peu voûté, avec des yeux d'halluciné, des yeux noirs, si noirs qu'on ne distinguait pas la pupille, des yeux mobiles, rôdeurs, malades, hantés. Quel être singulier, troublant, qui apportait, qui jetait un malaise autour de lui, un malaise vague, de l'âme, du corps, un de ces énervements incompréhensibles qui font croire à des influences surnaturelles.

Il avait un tic gênant : la manie de cacher ses mains. Presque jamais il ne les laissait errer, comme nous faisons tous sur les objets, sur les tables. Jamais il ne maniait les choses traînantes avec ce geste familier qu'ont presque tous les hommes. Jamais il ne les laissait nues, ses longues mains osseuses, fines, un peu fébriles.

Il les enfonçait dans ses poches, sous les revers de ses aisselles en croisant les bras. On eût dit qu'il avait peur qu'elles ne fissent, malgré lui, quelque besogne défendue, qu'elles n'accomplissent quelque action honteuse ou ridicule s'il les laissait libres et maîtresses de leurs mouvements.

Quand il était obligé de s'en servir pour tous les usages ordinaires de la vie, il le faisait par saccades brusques, par élans rapides du bras comme s'il n'eût pas voulu leur laisser le temps d'agir par elles-mêmes, de se refuser à sa volonté, d'exécuter autre chose. À table, il saisissait son verre, sa fourchette ou son couteau si vivement qu'on n'avait jamais le temps de prévoir ce qu'il voulait faire avant qu'il ne l'eût accompli.

Or, j'eus un soir l'explication de la surprenante maladie de son âme.

---

1. **Maniaque :** atteint de manie ; fou.

Un fou ?

Il venait passer de temps en temps quelques jours chez moi, à la campagne, et ce soir-là il me paraissait particulièrement agité !

Un orage montait dans le ciel, étouffant et noir, après une journée
35 d'atroce chaleur. Aucun souffle d'air ne remuait les feuilles. Une vapeur chaude de four passait sur les visages, faisait haleter les poitrines. Je me sentais mal à l'aise, agité, et je voulus gagner mon lit.

Quand il me vit me lever pour partir, Jacques Parent me saisit le bras d'un geste effaré.

40 « Oh ! non, reste encore un peu », me dit-il.

Je le regardai avec surprise en murmurant :

« C'est que cet orage me secoue les nerfs. »

Il gémit, ou plutôt il cria :

« Et moi donc ! Oh ! reste, je te prie ; je ne voudrais pas demeurer
45 seul. »

Il avait l'air affolé. Je prononçai :

« Qu'est-ce que tu as ? Perds-tu la tête ? »

Et il balbutia :

« Oui, par moments, dans les soirs comme celui-ci, dans les
50 soirs d'électricité... j'ai... j'ai... j'ai peur... j'ai peur de moi... tu ne me comprends pas ? C'est que je suis doué d'un pouvoir... non... d'une puissance... non... d'une force... Enfin je ne sais pas dire ce que c'est, mais j'ai en moi une action magnétique si extraordinaire que j'ai peur, oui, j'ai peur de moi, comme je te le disais tout à l'heure ! »

55 Et il cachait, avec des frissons éperdus, ses mains vibrantes sous les revers de sa jaquette[1]. Et moi-même je me sentis soudain tout tremblant d'une crainte confuse, puissante, horrible. J'avais envie de partir, de me sauver, de ne plus le voir, de ne plus voir son œil errant passer sur moi, puis s'enfuir, tourner autour du plafond,
60 chercher quelque coin sombre de la pièce pour s'y fixer, comme s'il eût voulu cacher aussi son regard redoutable.

Je balbutiai :

« Tu ne m'avais jamais dit ça ! »

Il reprit :

65 « Est-ce que j'en parle à personne ? Tiens, écoute, ce soir je ne puis me taire. Et j'aime mieux que tu saches tout ; d'ailleurs, tu pourras me secourir.

---

1. **Jaquette :** veste.

Le magnétisme ! Sais-tu ce que c'est ? Non. Personne ne sait. On le constate pourtant. On le reconnaît, les médecins eux-mêmes le
70 pratiquent ; un des plus illustres, M. Charcot, le professe ; donc, pas de doute, cela existe.

Un homme, un être a le pouvoir, effrayant et incompréhensible, d'endormir, par la force de sa volonté, un autre être, et, pendant qu'il dort, de lui voler sa pensée comme on volerait une bourse.
75 Il lui vole sa pensée, c'est-à-dire son âme, l'âme, ce sanctuaire, ce secret du Moi, l'âme, ce fond de l'homme qu'on croyait impéné-trable, l'âme, cet asile des inavouables idées, de tout ce qu'on cache, de tout ce qu'on aime, de tout ce qu'on veut celer[1] à tous les humains, il l'ouvre, la viole, l'étale, la jette au public ! N'est-ce
80 pas atroce, criminel, infâme ?

Pourquoi, comment cela se fait-il ? Le sait-on ? Mais que sait-on ?

Tout est mystère. Nous ne communiquons avec les choses que par nos misérables sens, incomplets, infirmes, si faibles qu'ils ont à peine la puissance de constater ce qui nous entoure. Tout est mys-
85 tère. Songe à la musique, cet art divin, cet art qui bouleverse l'âme, l'emporte, la grise, l'affole, qu'est-ce donc ? Rien.

Tu ne me comprends pas ? Écoute. Deux corps se heurtent. L'air vibre. Ces vibrations sont plus ou moins nombreuses, plus ou moins rapides, plus ou moins fortes, selon la nature du choc. Or
90 nous avons dans l'oreille une petite peau qui reçoit ces vibrations de l'air et les transmet au cerveau sous forme de son. Imagine qu'un verre d'eau se change en vin dans ta bouche. Le tympan accomplit cette incroyable métamorphose, ce surprenant miracle de changer le mouvement en son. Voilà.

95 La musique, cet art complexe et mystérieux, précis comme l'algèbre et vague comme un rêve, cet art fait de mathématiques et de brise, ne vient donc que de la propriété étrange d'une petite peau. Elle n'existerait point, cette peau, que le son non plus n'existerait pas, puisque par lui-même il n'est qu'une vibration. Sans l'oreille, devinerait-
100 on la musique ? Non. Eh bien ! nous sommes entourés de choses que nous ne soupçonnerons jamais, parce que les organes nous manquent qui nous les révéleraient.

---

1. **Celer :** cacher.

Un fou ?

Le magnétisme est de celles-là peut-être. Nous ne pouvons que pressentir cette puissance, que tenter en tremblant ce voisinage des esprits, qu'entrevoir ce nouveau secret de la nature, parce que nous n'avons point en nous l'instrument révélateur.

Quant à moi... Quant à moi, je suis doué d'une puissance affreuse. On dirait un autre être enfermé en moi, qui veut sans cesse s'échapper, agir malgré moi, qui s'agite, me ronge, m'épuise. Quel est-il ? Je ne sais pas, mais nous sommes deux dans mon pauvre corps, et c'est lui, l'autre, qui est souvent le plus fort, comme ce soir.

Je n'ai qu'à regarder les gens pour les engourdir comme si je leur avais versé de l'opium. Je n'ai qu'à étendre les mains pour produire des choses... des choses... terribles. Si tu savais ? Oui, si tu savais ? Mon pouvoir ne s'étend pas seulement sur les hommes, mais aussi sur les animaux et même... sur les objets...

Cela me torture et m'épouvante. J'ai eu envie souvent de me crever les yeux et de me couper les poignets.

Mais je vais... je veux que tu saches tout. Tiens. Je vais te montrer cela... non pas sur des créatures humaines, c'est ce qu'on fait partout, mais sur... sur... des bêtes. Appelle Mirza. »

Il marchait à grands pas avec des airs d'halluciné, et il sortit ses mains cachées dans sa poitrine. Elles me semblèrent effrayantes comme s'il eût mis à nu deux épées.

Et je lui obéis machinalement, subjugué, vibrant de terreur et dévoré d'une sorte de désir impétueux[1] de voir. J'ouvris la porte et je sifflai ma chienne qui couchait dans le vestibule. J'entendis aussitôt le bruit précipité de ses ongles sur les marches de l'escalier, et elle apparut, joyeuse, remuant la queue.

Puis, je lui fis signe de se coucher sur un fauteuil ; elle y sauta, et Jacques se mit à la caresser en la regardant.

D'abord, elle sembla inquiète ; elle frissonnait, tournait la tête pour éviter l'œil fixe de l'homme, semblait agitée d'une crainte grandissante. Tout à coup, elle commença à trembler, comme tremblent les chiens. Tout son corps palpitait, secoué de longs frissons ; et elle voulut s'enfuir. Mais il posa sa main sur le crâne de l'animal qui poussa, sous ce toucher, un de ces longs hurlements qu'on entend, la nuit, dans la campagne.

---

1. **Impétueux :** ardent, violent.

Je me sentais moi-même engourdi, étourdi, ainsi qu'on l'est lors-
140 qu'on monte en barque. Je voyais se pencher les meubles, remuer
les murs. Je balbutiai : « Assez, Jacques, assez. » Mais il ne m'écoutait plus, il regardait Mirza d'une façon continue, effrayante. Elle
fermait les yeux maintenant et laissait tomber sa tête comme on
fait en s'endormant. Il se tourna vers moi.
145 « C'est fait, dit-il, vois maintenant. »
Et jetant son mouchoir de l'autre côté de l'appartement, il cria :
« Apporte ! »
La bête alors se souleva et chancelant, trébuchant comme si elle eût
été aveugle, remuant ses pattes comme les paralytiques remuent leurs
150 jambes, elle s'en alla vers le linge qui faisait une tache blanche contre
le mur. Elle essaya plusieurs fois de le prendre dans sa gueule, mais
elle mordait à côté comme si elle ne l'eût pas vu. Elle le saisit enfin, et
revint de la même allure ballottée de chien somnambule.
C'était une chose terrifiante à voir.
155 Il commanda : « Couche-toi. » Elle se coucha. Alors, lui touchant
le front, il dit : « Un lièvre, pille[1], pille. » Et la bête, toujours sur le
flanc, essaya de courir, s'agita comme font les chiens qui rêvent, et
poussa, sans ouvrir la gueule, des petits aboiements étranges, des
aboiements de ventriloque[2].
160 Jacques semblait devenu fou. La sueur coulait de son front. Il
cria : « Mords-le, mords ton maître. » Elle eut deux ou trois soubre-
sauts terribles. On eût juré qu'elle résistait, qu'elle luttait. Il répéta :
« Mords-le. » Alors, se levant, ma chienne s'en vint vers moi, et moi
je reculais vers la muraille, frémissant d'épouvante, le pied levé
165 pour la frapper, pour la repousser.
Mais Jacques ordonna : « Ici, tout de suite. » Elle se retourna vers
lui. Alors, de ses deux grandes mains, il se mit à lui frotter la tête
comme s'il l'eût débarrassée de liens invisibles.
Mirza rouvrit les yeux : « C'est fini », dit-il.
170 Je n'osais point la toucher et je poussai la porte pour qu'elle s'en
allât. Elle partit lentement, tremblante, épuisée, et j'entendis de
nouveau ses griffes frapper les marches.

---

1. **Pille :** attrape-le ; jette-toi sur lui.
2. **Ventriloque :** personne qui parle sans remuer les lèvres, d'une voix étouffée qui
semble venir du ventre.

Un fou ?

Mais Jacques revint vers moi : « Ce n'est pas tout. Ce qui m'effraie le plus, c'est ceci, tiens. Les objets m'obéissent. »

175 Il y avait sur ma table une sorte de couteau-poignard dont je me servais pour couper les feuillets des livres. Il allongea sa main vers lui. Elle semblait ramper, s'approchait lentement ; et tout d'un coup je vis, oui, je vis le couteau lui-même tressaillir, puis il remua, puis il glissa doucement, tout seul, sur le bois vers la main arrêtée qui

180 l'attendait, et il vint se placer sous ses doigts.

Je me mis à crier de terreur. Je crus que je devenais fou moi-même, mais le son aigu de ma voix me calma soudain.

Jacques reprit :

« Tous les objets viennent ainsi vers moi. C'est pour cela que je

185 cache mes mains. Qu'est cela ? Du magnétisme, de l'électricité, de l'aimant ? Je ne sais pas, mais c'est horrible.

Et comprends-tu pourquoi c'est horrible ? Quand je suis seul, aussitôt que je suis seul, je ne puis m'empêcher d'attirer tout ce qui m'entoure. Et je passe des jours entiers à changer des choses

190 de place, ne me lassant jamais d'essayer ce pouvoir abominable, comme pour voir s'il ne m'a pas quitté. »

Il avait enfoui ses grandes mains dans ses poches et il regardait dans la nuit. Un petit bruit, un frémissement léger semblait passer dans les arbres.

195 C'était la pluie qui commençait à tomber.

Je murmurai : « C'est effrayant ! »

Il répéta : « C'est horrible. »

Une rumeur accourut dans ce feuillage, comme un coup de vent. C'était l'averse, l'ondée épaisse, torrentielle.

200 Jacques se mit à respirer par grands souffles qui soulevaient sa poitrine.

« Laisse-moi, dit-il, la pluie va me calmer. Je désire être seul à présent. »

1er septembre 1884.

Clefs d'analyse

Action et personnages

1. Justifiez le titre. Utilisez vos connaissances sur le fantastique pour répondre à la question.

2. Comment comprenez-vous le choix du nom du héros « Parent » ?

3. Dans le portrait de Jacques Parent, paragraphes 1 et 2 (p. 81), distinguez ce qui est objectif de ce qui est subjectif. Quelles conclusions pouvez-vous porter sur ce portrait ?

4. En quoi consistent les pouvoirs de J. Parent ? Sont-ils effrayants ? Justifiez votre réponse. Le narrateur parle de « la surprenante maladie de son âme » (p. 81, p. 30-31), que pensez-vous de cette expression ?

5. Comment J. Parent décrit-il ses pouvoirs ? Quel rapprochement peut-on faire avec l'histoire du Horla ?

6. Lors de l'expérience avec le chien, puis avec le couteau, qu'est-ce qui effraie le narrateur ?

7. Quelle image le lecteur se fait-il du narrateur personnage ? Observez son comportement et sa manière de raconter l'histoire de son ami.

Langue

8. Dans les paragraphes 3 et 4 (p. 81), relevez les phrases négatives. Quel est le rôle de ces phrases ?

9. Relevez dans l'ensemble du conte les adjectifs qualificatifs qui expriment la peur (« inquiétant, effrayant, horrible… »). Expliquez pourquoi ce champ lexical est particulièrement développé.

10. Transposez le dialogue entre le narrateur et J. Parent en discours indirect depuis « Quand il me vit me lever pour partir » jusqu'à « tu ne me comprends pas ? » (p. 82-83, l. 38-87). Qu'est-ce qu'on perd dans cette transposition ?

Genre et thème

11. Les thèmes de cette nouvelle (le magnétisme, l'hypnose) vous semblent-ils des thèmes fantastiques ? Justifiez votre réponse.

Clefs d'analyse

Clefs d'analyse   Un fou ?

12. Le lecteur hésite-t-il entre deux solutions, l'une réelle, l'autre irréelle ?

13. Le sentiment de peur que le narrateur cherche à faire ressentir au lecteur fait-il partie de ce qu'on attend d'un récit fantastique ?

14. Ce récit est-il un récit fantastique ?

Écriture

15. Un de vos amis se comporte de façon étrange. Racontez une soirée passée seul en sa compagnie. Vos sentiments passeront progressivement de l'inquiétude à l'angoisse.

16. Vos mains ou vos pieds (ou un seul de vos membres) ne vous obéissent plus et réagissent comme s'ils avaient une volonté indépendante. Racontez ce qui vous arrive dans un registre tragique, pathétique ou comique, à votre choix.

17. Vous avez le pouvoir de faire bouger les objets sans les toucher. Racontez dans quelles circonstances vous vous êtes rendu compte que vous possédiez ce pouvoir et comment vous décidez de l'utiliser.

Pour aller plus loin

18. Qu'est-ce que le magnétisme ? L'hypnose ? En quoi ces phénomènes peuvent-ils paraître inquiétants ?

19. Faites des recherches sur le professeur Charcot et sur les cours qu'il donnait à la Salpêtrière auxquels Maupassant et Freud ont assisté.

✳ À retenir

Le narrateur personnage a un point de vue partiel et subjectif sur les événements. Il manifeste dans son récit toute son émotivité. Dans ce conte, il se montre terrorisé par les pouvoirs étonnants de son ami. Cette position du narrateur est intéressante dans un récit fantastique. Le lecteur est en effet incité à s'identifier à ce « je » et perd ses repères rationnels.

La Nuit

Cauchemar

J'aime la nuit avec passion. Je l'aime comme on aime son pays ou sa maîtresse, d'un amour instinctif, profond, invincible. Je l'aime avec tous mes sens, avec mes yeux qui la voient, avec mon odorat qui la respire, avec mes oreilles qui en écoutent le silence, avec
5 toute ma chair que les ténèbres caressent. Les alouettes chantent dans le soleil, dans l'air bleu, dans l'air chaud, dans l'air léger des matinées claires. Le hibou fuit dans la nuit, tache noire qui passe à travers l'espace noir, et, réjoui, grisé par la noire immensité, il pousse son cri vibrant et sinistre.
10 Le jour me fatigue et m'ennuie. Il est brutal et bruyant. Je me lève avec peine, je m'habille avec lassitude, je sors avec regret, et chaque pas, chaque mouvement, chaque geste, chaque parole, chaque pensée me fatigue comme si je soulevais un écrasant fardeau.

Mais quand le soleil baisse, une joie confuse, une joie de tout
15 mon corps m'envahit. Je m'éveille, je m'anime. À mesure que l'ombre grandit, je me sens tout autre, plus jeune, plus fort, plus alerte, plus heureux. Je la regarde s'épaissir, la grande ombre douce tombée du ciel : elle noie la ville, comme une onde insaisissable et impénétrable, elle cache, efface, détruit les couleurs, les formes, étreint les
20 maisons, les êtres, les monuments de son imperceptible toucher.

Alors j'ai envie de crier de plaisir comme les chouettes, de courir sur les toits comme les chats ; et un impétueux, un invincible désir d'aimer s'allume dans mes veines.

Je vais, je marche, tantôt dans les faubourgs assombris, tantôt
25 dans les bois voisins de Paris, où j'entends rôder mes sœurs les bêtes et mes frères les braconniers.

Ce qu'on aime avec violence finit toujours par vous tuer. Mais comment expliquer ce qui m'arrive ? Comment même faire comprendre que je puisse le raconter ? Je ne sais pas, je ne sais plus, je
30 sais seulement que cela est. – Voilà.

Donc hier – était-ce hier ? – oui, sans doute, à moins que ce ne soit auparavant, un autre jour, un autre mois, une autre année, – je

La Nuit

ne sais pas. Ce doit être hier pourtant, puisque le jour ne s'est plus
levé, puisque le soleil n'a pas reparu. Mais depuis quand la nuit
35 dure-t-elle ? Depuis quand ?... Qui le dira ? qui le saura jamais ?

Donc hier, je sortis comme je fais tous les soirs, après mon dîner.
Il faisait très beau, très doux, très chaud. En descendant vers les
boulevards, je regardais au-dessus de ma tête le fleuve noir et
plein d'étoiles découpé dans le ciel par les toits de la rue qui tour-
40 nait et faisait onduler comme une vraie rivière ce ruisseau roulant
des astres.

Tout était clair dans l'air léger, depuis les planètes jusqu'aux becs
de gaz[1]. Tant de feux brillaient là-haut et dans la ville que les ténèbres
en semblaient lumineuses. Les nuits luisantes sont plus joyeuses
45 que les grands jours de soleil.

Sur le boulevard, les cafés flamboyaient ; on riait, on passait, on
buvait. J'entrai au théâtre, quelques instants, dans quel théâtre ? je
ne sais plus. Il y faisait si clair que cela m'attrista et je ressortis le
cœur un peu assombri par ce choc de lumière brutale sur les ors
50 du balcon, par le scintillement factice[2] du lustre énorme de cristal,
par la barrière du feu de la rampe, par la mélancolie de cette clarté
fausse et crue. Je gagnai les Champs-Élysées où les cafés-concerts[3]
semblaient des foyers d'incendie dans les feuillages. Les marron-
niers frottés de lumière jaune avaient l'air peints, un air d'arbres
55 phosphorescents. Et les globes électriques, pareils à des lunes
éclatantes et pâles, à des œufs de lune tombés du ciel, à des per-
les monstrueuses, vivantes, faisaient pâlir sous leur clarté nacrée,
mystérieuse et royale, les filets de gaz, de vilain gaz sale, et les guirlandes de verres de couleur.
60 Je m'arrêtai sous l'Arc de Triomphe pour regarder l'avenue, la
longue et admirable avenue étoilée, allant vers Paris entre deux
lignes de feux, et les astres ! Les astres là-haut, les astres inconnus
jetés au hasard dans l'immensité où ils dessinent ces figures bizarres,
qui font tant rêver, qui font tant songer.

1. **Becs de gaz :** réverbères au gaz.
2. **Factice :** artificiel.
3. **Cafés-concerts :** théâtres où les spectateurs pouvaient assister à un spectacle tout
en consommant.

65 J'entrai dans le bois de Boulogne et j'y restai longtemps, longtemps. Un frisson singulier m'avait saisi, une émotion imprévue et
puissante, une exaltation de ma pensée qui touchait à la folie.

Je marchai longtemps, longtemps. Puis je revins.

Quelle heure était-il quand je repassai sous l'Arc de Triomphe ?
70 Je ne sais pas. La ville s'endormait, et des nuages, de gros nuages
noirs s'étendaient lentement sur le ciel.

Pour la première fois je sentis qu'il allait arriver quelque chose
d'étrange, de nouveau. Il me sembla qu'il faisait froid, que l'air
s'épaississait, que la nuit, que ma nuit bien-aimée, devenait lourde
75 sur mon cœur. L'avenue était déserte, maintenant. Seuls, deux sergents de ville[1] se promenaient auprès de la station des fiacres[2], et,
sur la chaussée à peine éclairée par les becs de gaz qui paraissaient
mourants, une file de voitures de légumes allait aux Halles. Elles
allaient lentement, chargées de carottes, de navets et de choux. Les
80 conducteurs dormaient, invisibles ; les chevaux marchaient d'un
pas égal, suivant la voiture précédente, sans bruit, sur le pavé de
bois. Devant chaque lumière du trottoir, les carottes s'éclairaient
en rouge, les navets s'éclairaient en blanc, les choux s'éclairaient
en vert ; et elles passaient l'une derrière l'autre, ces voitures, rouges
85 d'un rouge de feu, blanches d'un blanc d'argent, vertes d'un vert
d'émeraude. Je les suivis, puis je tournai par la rue Royale et revins
sur les boulevards. Plus personne, plus de cafés éclairés, quelques
attardés seulement qui se hâtaient. Je n'avais jamais vu Paris aussi
mort, aussi désert. Je tirai ma montre, il était deux heures.

90 Une force me poussait, un besoin de marcher. J'allai donc jusqu'à
la Bastille. Là, je m'aperçus que je n'avais jamais vu une nuit si
sombre, car je ne distinguais pas même la colonne de Juillet, dont
le génie d'or[3] était perdu dans l'impénétrable obscurité. Une voûte
de nuages, épaisse comme l'immensité, avait noyé les étoiles, et
95 semblait s'abaisser sur la terre pour l'anéantir.

Je revins. Il n'y avait plus personne autour de moi. Place du
Château-d'Eau, pourtant, un ivrogne faillit me heurter, puis il dis-
parut. J'entendis quelque temps son pas inégal et sonore. J'allais.

---

1. **Sergents de ville :** ancien nom des agents de police.
2. **Fiacres :** voitures à cheval qu'on loue à la course ou à l'heure.
3. **Le génie d'or :** statue qui surmonte la colonne de la place de la Bastille.

La Nuit

À la hauteur du faubourg Montmartre un fiacre passa, descendant
vers la Seine. Je l'appelai. Le cocher ne répondit pas. Une femme
rôdait près de la rue Drouot : « Monsieur, écoutez donc. » Je
hâtai le pas pour éviter sa main tendue. Puis plus rien. Devant le
Vaudeville[1], un chiffonnier[2] fouillait le ruisseau[3]. Sa petite lanterne
flottait au ras du sol. Je lui demandai : « Quelle heure est-il, mon
brave ? »

Il grogna : « Est-ce que je sais ! J'ai pas de montre. »

Alors je m'aperçus tout à coup que les becs de gaz étaient
éteints. Je sais qu'on les supprime de bonne heure, avant le jour, en
cette saison, par économie ; mais le jour était encore loin, si loin de
paraître !

« Allons aux Halles, pensai-je, là au moins je trouverai la vie. »

Je me mis en route, mais je n'y voyais même pas pour me
conduire. J'avançais lentement, comme on fait dans un bois, recon-
naissant les rues en les comptant.

Devant le Crédit Lyonnais, un chien grogna. Je tournai par la
rue de Grammont, je me perdis ; j'errai, puis je reconnus la Bourse
aux grilles de fer qui l'entourent. Paris entier dormait, d'un sommeil profond, effrayant. Au loin pourtant un fiacre roulait, un seul
fiacre, celui peut-être qui avait passé devant moi tout à l'heure. Je
cherchais à le joindre, allant vers le bruit de ses roues, à travers les
rues solitaires et noires, noires, noires comme la mort.

Je me perdis encore. Où étais-je ? Quelle folie d'éteindre sitôt le
gaz ! Pas un passant, pas un attardé, pas un rôdeur, pas un miaule-
ment de chat amoureux. Rien.

Où donc étaient les sergents de ville ? Je me dis : « Je vais crier,
ils viendront. » Je criai. Personne ne répondit.

J'appelai plus fort. Ma voix s'envola, sans écho, faible, étouffée,
écrasée par la nuit, par cette nuit impénétrable.

Je hurlai : « Au secours ! au secours ! au secours ! »

Mon appel désespéré resta sans réponse. Quelle heure était-
il donc ? Je tirai ma montre, mais je n'avais point d'allumettes.

---

1. **Le Vaudeville :** théâtre parisien.
2. **Un chiffonnier :** personne qui ramasse de vieux vêtements, des chiffons, pour les
vendre.
3. **Le ruisseau :** les ordures.

J'écoutai le tic-tac léger de la petite mécanique avec une joie inconnue et bizarre. Elle semblait vivre. J'étais moins seul. Quel mystère ! Je me remis en marche comme un aveugle, en tâtant les
135 murs de ma canne, et je levais à tout moment mes yeux vers le ciel, espérant que le jour allait enfin paraître ; mais l'espace était noir, tout noir, plus profondément noir que la ville.

Quelle heure pouvait-il être ? Je marchais, me semblait-il, depuis un temps infini, car mes jambes fléchissaient sous moi, ma poitrine
140 haletait, et je souffrais de la faim horriblement.

Je me décidai à sonner à la première porte cochère[1]. Je tirai le bouton de cuivre, et le timbre tinta dans la maison sonore ; il tinta étrangement comme si ce bruit vibrant eût été seul dans cette maison.

145 J'attendis, on ne répondit pas, on n'ouvrit point la porte. Je sonnai de nouveau ; j'attendis encore, – rien.

J'eus peur ! Je courus à la demeure suivante, et vingt fois de suite je fis résonner la sonnerie dans le couloir obscur où devait dormir le concierge. Mais il ne s'éveilla pas, – et j'allai plus loin, tirant de
150 toutes mes forces les anneaux ou les boutons, heurtant de mes pieds, de ma canne et de mes mains les portes obstinément closes.

Et tout à coup, je m'aperçus que j'arrivais aux Halles. Les Halles étaient désertes, sans un bruit, sans un mouvement, sans une voiture, sans un homme, sans une botte de légumes ou de fleurs.
155 – Elles étaient vides, immobiles, abandonnées, mortes !

Une épouvante me saisit, – horrible. Que se passait-il ? Oh ! mon Dieu ! que se passait-il ?

Je repartis. Mais l'heure ? l'heure ? qui me dirait l'heure ? Aucune horloge ne sonnait dans les clochers ou dans les monuments. Je
160 pensai : « Je vais ouvrir le verre de ma montre et tâter l'aiguille avec mes doigts. » Je tirai ma montre... elle ne battait plus... elle était arrêtée. Plus rien, plus rien, plus un frisson dans la ville, pas une lueur, pas un frôlement de son dans l'air. Rien ! plus rien ! plus même le roulement lointain du fiacre, – plus rien !

165 J'étais aux quais, et une fraîcheur glaciale montait de la rivière.
La Seine coulait-elle encore ?

---

1. **Porte cochère** : grande porte qui permet l'accès d'une voiture.

La Nuit

Je voulus savoir, je trouvai l'escalier, je descendis... Je n'entendais pas le courant bouillonner sous les arches du pont... Des marches encore... puis du sable... de la vase... puis de l'eau... j'y trempai mon bras... elle coulait... elle coulait... froide... froide... froide... presque gelée... presque tarie[1]... presque morte.

Et je sentais bien que je n'aurais plus jamais la force de remonter... et que j'allais mourir là... moi aussi, de faim – de fatigue – et de froid.

14 juin 1887.

---

1. **Tarie :** épuisée, asséchée.

Apparition. Illustration de Aristide Caillaud, 1949.

Clefs d'analyse

Action et personnages

1. Quels sont les sentiments du narrateur sur le jour et la nuit, tels qu'il les exprime au début de la nouvelle ? Justifiez votre réponse.

2. « Donc hier, je sortis comme je fais tous les soirs, après mon dîner » (p. 90, l. 36). Cette phrase laisse-t-elle attendre un récit de cauchemar ? Pourquoi ?

3. Retracez l'itinéraire du narrateur dans Paris. Qui rencontre-t-il ? Quelles remarques pouvez-vous faire ?

4. Pourquoi le temps est-il arrêté ? Pourquoi le narrateur est-il seul ? Que lui est-il arrivé ?

5. « Comment même faire comprendre que je puisse le raconter ? » (p. 89, l. 28-29). Pourquoi le fait que le narrateur puisse raconter son histoire pose-t-il un problème ?

Langue

6. « Ce qu'on aime avec violence finit toujours par vous tuer » (p. 89, l. 27). Montrez que cette phrase exprime une généralité : elle a la forme d'une maxime. Pourquoi s'applique-t-elle à ce conte ? À quel autre récit fantastique de Maupassant convient-elle parfaitement ?

7. Dans le passage suivant : « Tout était clair [...] les guirlandes de verres de couleur » (p. 90, l. 42-59), relevez les deux champs lexicaux de la lumière et de l'ombre. Que constatez-vous ? Quelles figures de style sont employées dans les expressions suivantes : « les ténèbres en semblaient lumineuses », « les nuits luisantes ».

8. Dans le passage qui va de « Et tout à coup je m'aperçus que j'arrivais aux Halles » (p. 93, l. 152) à la fin du récit, relevez le champ lexical de la mort. Pensez aux éléments explicites comme aux éléments implicites.

9. Dans le même passage final, étudiez comment s'exprime la peur du narrateur.

Genre et thème

10. À partir de quand peut-on dire que la ville nocturne devient étrange ? Relevez quelques phrases qui marquent les étapes de cette transformation.

11. Quels éléments du Paris nocturne inquiètent le narrateur ? Sont-ils réellement inquiétants ou est-ce le narrateur qui les perçoit avec angoisse ?

12. S'agit-il d'un cauchemar ou le narrateur sombre-t-il dans la folie ? Justifiez votre réponse.

Écriture

13. Rédigez deux paragraphes. Le premier commencera par la phrase : « J'aime l'hiver avec passion » et le deuxième par « L'été me fatigue et m'ennuie ». Vous pouvez changer les saisons : « J'aime l'été / l'automne / le printemps... »

14. Racontez une histoire qui illustrera la maxime : « Ce qu'on aime avec violence finit toujours par vous tuer. » Cette phrase vous servira de conclusion.

15. Vous parcourez la nuit un lieu qui vous est familier et qui se transforme étrangement. Racontez. Votre récit sera coupé de descriptions.

Pour aller plus loin

16. Dans les nouvelles fantastiques de Maupassant que vous avez lues, recensez les scènes nocturnes. Que constatez-vous ?

17. Qu'est-ce que le clair-obscur en peinture ? Trouvez un exemple.

✳ À retenir

Dans ce conte comme dans beaucoup de récits fantastiques, les descriptions sont subjectives. Cela signifie que les lieux sont présentés à travers le regard du spectateur-personnage. Dans ce récit, le Paris nocturne, présenté d'abord de façon réaliste, devient peu à peu effrayant.

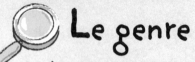

Le genre

1. **À quel genre appartient « Le Horla » ?**
   - ☐ a. le théâtre
   - ☐ b. le roman
   - ☐ c. la poésie
   - ☐ d. la nouvelle

2. **Quelle forme prend le récit du « Horla » ?**
   - ☐ a. un échange de lettres
   - ☐ b. un journal intime
   - ☐ c. une autobiographie
   - ☐ d. un dialogue

3. **Qui est le narrateur du « Horla » ?**
   - ☐ a. une femme
   - ☐ b. un médecin
   - ☐ c. le Horla
   - ☐ d. on ne sait pas

4. **Où habite le narrateur du « Horla » ?**
   - ☐ a. à Tours
   - ☐ b. en Normandie
   - ☐ c. dans les Alpes
   - ☐ d. en Bretagne

5. **En quelle saison commence « Le Horla » ?**
   - ☐ a. au printemps
   - ☐ b. en été
   - ☐ c. en automne
   - ☐ d. en hiver

6. **L'histoire du « Horla » se termine :**
   - ☐ a. par la mort du narrateur
   - ☐ b. par l'incendie de sa maison
   - ☐ c. par le départ du Horla
   - ☐ d. par l'admission du narrateur dans une maison de santé

7. Le personnage principal du « Horla » part en voyage :
- ☐ a. en Transylvanie
- ☐ b. à Chartre
- ☐ c. au mont Saint-Michel
- ☐ d. en Espagne

8. Qui est le Horla ?
- ☐ a. un être invisible
- ☐ b. un mutant
- ☐ c. un hors-la-loi
- ☐ d. un chien

9. Le Horla boit :
- ☐ a. du vin
- ☐ b. de la grenadine
- ☐ c. du jus de pomme
- ☐ d. du lait

10. Le Horla cueille :
- ☐ a. des framboises
- ☐ b. des cerises
- ☐ c. une rose
- ☐ d. une pivoine

11. À Paris, le personnage principal du « Horla » va dîner chez :
- ☐ a. un médecin
- ☐ b. sa cousine
- ☐ c. une vieille amie
- ☐ d. Flaubert

Les personnages des contes

1. Reliez chaque citation au personnage qui convient.

1. « J'ai besoin, absolument besoin, de cinq mille francs. »

a. Le narrateur de la « Lettre d'un fou ».

2. « Tous les objets viennent ainsi vers moi. C'est pour cela que je cache mes mains. »

b. Le chiffonnier dans « La Nuit ».

3. « Est-ce que je sais ! J'ai pas de montre. »

c. Jacques Parent dans « Un fou ? ».

4. « Je suis possédé par le désir des femmes d'autrefois »

d. Le narrateur du récit encadré dans « La Chevelure ».

5. « Mais non, la maîtresse, même qu'il était au pied d'une haie, et encore chaud, pas gelé. »

e. Le forgeron du « Conte de Noël ».

6. « C'est une phrase de Montesquieu qui a éclairé brusquement ma pensée. »

f. Madame Sablé dans « Le Horla ».

2. Découvrez les personnages à travers leur portrait et rendez-les au conte dans lequel ils apparaissent.

a. Je suis un homme grand et maigre avec des yeux d'halluciné. J'ai un tic. Je suis .... dans ....

b. Je suis une femme et j'habite un village de Normandie. Il m'est arrivé une aventure effrayante dont je n'ai aucun souvenir. Je suis .... dans ....

c. J'habite Paris et j'ai l'habitude de m'y promener la nuit. Je suis .... dans ....

d. Je suis médecin. Je m'intéresse aux expériences de l'école de Nancy. Je suis capable d'endormir les gens et de les faire agir contre leur volonté. Je suis .... dans ....

e. Je suis attiré par le passé et les objets anciens dont s'empare mon imagination délirante. J'aime avec passion les femmes d'autrefois. Je suis .... dans ....

Avez-vous bien lu ?

f. Je suis un homme de Dieu. J'habite dans un endroit où le vent ne cesse de souffler. J'ai parlé avec un homme qui m'a interrogé sur l'existence d'êtres invisibles vivant dans notre monde. Je suis .... dans ....

g. J'ai un esprit très rationnel. Je pense que nous sommes entourés d'Inconnu inexploré. Je m'efforce de voir l'invisible mais je me fais peur moi-même. Je suis ....

h. Personne ne me voit mais je hante les humains. J'aime l'eau et le lait. Je suis .... dans ....

L'histoire

1. Remettez de l'ordre dans l'histoire du « Conte de Noël ».

a. Alors qu'il était médecin dans un village de Normandie, il y eut un hiver terriblement froid.

b. Les hurlements et les tremblements de la possédée s'apaisèrent peu à peu et elle s'endormit.

c. Le médecin essaya les calmants, le prêtre les formules d'exorcisme. Rien n'y fit.

d. Le docteur Bonenfant, invité à raconter un conte de Noël, commença le récit de ce qu'il appela un « miracle ».

e. Le forgeron du village découvrit un jour un œuf sur la neige.

f. Durant l'office, il éleva l'ostensoir devant les yeux de la folle et le tint ainsi un très long moment.

g. Il le donna à sa femme qui le mangea avec réticence.

h. Quand elle se réveilla, guérie, elle ne se souvenait de rien.

i. Le prêtre demanda au médecin de l'aider pour qu'elle assiste à la messe de Noël.

j. Quand elle eut mangé l'œuf, elle fut prise de convulsions et de tremblements : elle était comme possédée.

2. Replacez chaque objet dans le conte où il apparaît.

a. Un ostensoir : ....

b. Un bec de gaz éteint : ....

c. Une rose : ....

d. Un couteau-poignard : ....

e. Un miroir : ....

f. Un meuble à secret : ....

Auteur et contexte

1. Reliez les nouvelles de Maupassant à leur date de parution.

« Lettre d'un fou » •   • décembre 1882

« Conte de Noël » •   • mai 1884

« Le Horla » •   • septembre 1884

« Un fou ? » •   • février 1885

« La Chevelure » •   • mai 1887

« La Nuit » •   • juin 1887.

2. Découvrez les erreurs qui se sont glissées dans le texte et retrouvez le mot qui convient dans la liste.

sain, culturel, Les Rougon-Macquart, *naturaliste, psychologie,* Zola, *hypnose, subjective, folie,* « Le Horla ».

Maupassant, comme Montesquieu, est un écrivain romantique. C'est-à-dire qu'il appartient à un mouvement littéraire et artificiel qui s'efforce de représenter la nature sans la déformer par une vision objective des choses. Le chef de ce mouvement a écrit une série de vingt romans, intitulés *Les Bourbon-Packart*, dans lesquels il raconte l'histoire d'une famille sur plusieurs générations. Maupassant étudie avec beaucoup d'acuité et de finesse la calligraphie de ses personnages. Comme beaucoup de ses contemporains, il s'intéresse à la tuberculose et à ses nouvelles thérapies. Il assiste ainsi aux cours du professeur Charcot à la Salpêtrière qui met ses malades sous saccharose pour les soigner. Quand il écrit la nouvelle du « Petit Nicolas », il est parfaitement saint d'esprit, même s'il souffre déjà de quelques symptômes inquiétants d'une maladie mentale qui entraînera sa mort.

3. Chaque date mentionnée présente un événement erroné. Barrez-le.

a. 2 décembre 1851 : Louis XIV prend le pouvoir. L'empire est instauré.

b. 1857 : Flaubert publie *Madame Bovary* et Corneille fait jouer *Le Cid*.

c. 1870 : Première Guerre mondiale. Napoléon III est fait prisonnier à Sedan.

d. 1880 : Jules Ferry rend l'école laïque, gratuite et obligatoire. Le port du voile est interdit à l'école.

e. 1885 : mort de Victor Hugo. Molière joue *Les Fourberies de Scapin*. Zola publie *Germinal*.

f. 1889 : Exposition universelle ; érection de la tour Eiffel et de l'arc de triomphe.

g. 1890 : Van Gogh peint *Le champ de blé aux corbeaux*. Picasso peint *Les demoiselles d'Avignon*.

4. Trouvez dans la liste les noms des figures de style employées dans chacune des phrases.

anaphore, hyperbole, oxymore, comparaison, antithèse, énumération.

a. « Je le revis brusquement, ce grand garçon **étrange, fou depuis longtemps peut-être, maniaque inquiétant, effrayant même**. » (« Un fou ? »)

b. « C'était une chose **terrifiante** à voir. » (« Un fou ? »)

c. « Aussitôt elle se déroula, répandant son flot doré qui tomba jusqu'à terre, épais et léger, souple et brillant **comme la queue en feu d'une comète**. » (« La Chevelure »)

d. « Les **nuits luisantes** sont plus joyeuses que les jours de grand soleil. » (« La Nuit »)

e. « Tant de feux brillaient là-haut et dans la ville que les **ténèbres** en semblaient **lumineuses**. » (« La Nuit »)

f. Je voudrais **arrêter** le temps, **arrêter** l'heure. **Elle va, elle va,** elle passe, elle me prend de seconde en seconde un peu de moi pour le néant de demain. » (« La Chevelure »)

L'écriture de la peur

1. **Utilisez les éléments de la liste pour écrire quelques phrases qui expriment la frayeur d'un narrateur imaginaire.**

   quatre points d'exclamation ; un point d'interrogation ; des points de suspension à trois reprises ; Oh ; J'ai vu ! ; Suis-je devenu fou ? ; J'ai vu une chose effrayante ; a saisi un sabre au-dessus de mon lit ; je ne puis le raconter tellement c'est horrible ; Comme j'eus peur ; Une main osseuse aux doigts fébriles s'est emparée ; Sous mes yeux terrorisés.

2. **Même exercice mais vous avez toute liberté d'utiliser les noms, verbes, adjectifs... comme vous le voulez. Vous pouvez également ajouter des mots.**

Ponctuation : *trois points d'exclamation, un point d'interrogation, des points de suspension, des tirets.*

Verbes : *voir, sortir, être, se jeter, traverser, oser, mordre, pousser un cri.*

Noms : *fenêtre, femme, homme, cheveux, visage, chose, tombe, cimetière, cauchemar, vampire, cou, cri.*

Adjectifs : horrible, long, strident, blanc, vert.

Adverbes : lentement, à peine.

Vocabulaire

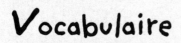

Ôtez l'intrus de la liste :

a. exorciste, fou, possédé, démoniaque.

b. ostensoir, tabernacle, hostie, réincarnation.

c. harassant, terrifiant, épouvantable, horrible.

d. étrange, unique, bizarre, singulier.

e. peur, angoisse, étonnement, effroi.

f. celer, cacher, éliminer, dérober.

g. fou, nécrophile, psychopathe, homéopathe.

h. goélette, pirate, trois-mâts, brigantin.

POUR
APPROFONDIR

Thèmes et prolongements

✤ Le fantastique

« Le Horla » et les autres contes de Maupassant de ce recueil sont classés dans un genre spécifique : le fantastique. Est-ce parce qu'ils peuvent faire peur ? parce qu'ils font allusion à des phénomènes irrationnels ? parce que les personnages sont étranges ? Comment définir le fantastique en littérature ?

Bref aperçu historique

Maupassant écrit dans un siècle où la littérature fantastique est une véritable mode. On lit en France les *Contes* d'Hoffmann et, plus tard, les *Histoires extraordinaires* d'Edgar Poe traduites par Baudelaire. Des écrivains comme Gautier (« La Morte amoureuse »), Mérimée (« La Vénus d'Ille ») ou Nerval (« L'Histoire du calife Hakem »), ont contribué à cet engouement du public. Mais au cours du XIXᵉ siècle, le fantastique évolue. Au moment où Maupassant écrit, on ne s'intéresse plus aux interventions du diable et aux cimetières hantés, autrement dit, à un irrationnel venu de l'extérieur. Les auteurs s'attachent plutôt à l'étude de cas pathologiques, à la description d'hallucinations dues à des troubles mentaux, et les analyses psychologiques sont plus poussées. Le fantastique devient en quelque sorte intérieur.

Qu'est-ce qu'un récit fantastique ?

Le fantastique, c'est l'irruption de l'irrationnel, de « ce qui ne peut pas arriver et qui se produit pourtant » (Roger Caillois), dans notre monde réel.

En ce sens, le récit fantastique est différent d'un conte de fées. Dans ce dernier, l'irréel, comme un ogre ou un chat qui parle, est considéré comme « normal » et ne surprend pas le lecteur. De même, la science-fiction s'écarte du fantastique dans la mesure où elle imagine des espaces nouveaux dans une époque éloignée de la nôtre, mais ce nouvel univers n'entre pas en contact avec notre monde réel et ne le trouble aucunement. Les contes de Maupassant, au contraire, sont bien ancrés dans la réalité de la fin du siècle. Les descriptions sont là pour l'attester : les passages des bateaux sur la Seine dans « Le Horla », le Paris nocturne de « La Nuit », la campagne normande du « Conte de Noël ». Et dans ce monde connu de tous surgit quelque chose d'incompréhensible : les objets bougent tout seuls, le temps s'arrête. Le fantastique est dans cette incongruité qui bouleverse notre vision habituelle des choses.

L'irruption d'un événement inexplicable dans notre univers familier provoque chez le lecteur une hésitation entre deux solutions possibles. Cet événement peut être le fruit de l'imagination d'un rêveur ou d'un esprit malade. On considère par exemple que le narrateur de « La Nuit » est fou. Dans ce cas, le monde dans lequel nous vivons n'a pas changé. Mais l'événement a pu avoir lieu : le temps s'est effectivement arrêté et la nuit est sans fin. Notre monde semble alors soumis à des lois inconnues. Pour Tzvetan Todorov, un théoricien contemporain, « le fantastique occupe le temps de cette hésitation ». Si la fin de l'histoire propose une solution, on sort du genre pour entrer dans une autre catégorie de récit. On est dans l'étrange si l'événement paraît bizarre, mais possible. On tombe dans le merveilleux s'il est impossible.

Pourquoi le fantastique a-t-il un tel succès au XIXe siècle ?

À cette époque où se développent les sciences et les techniques, le monde se dévoile aux hommes. Les zones d'ombre se raréfient, la raison domine. L'irrationnel se glisse dans les failles de la science comme le mystère du magnétisme ou celui de l'âme humaine. La littérature fantastique est le lieu où se dévoilent de façon privilégiée ces idées.

Par ailleurs, le fantastique permet d'exprimer, sous couvert de fiction, ce qu'il y a de plus profond dans l'âme humaine. « La Chevelure » présente ainsi un cas de nécrophilie, « Un fou ? » un cas de pulsion criminelle. Les études que Freud a faites plus tard sur la « névrose démoniaque » et les cas de dédoublement permettent de mieux comprendre le refoulement imposé par ce siècle que certains contes de Maupassant essaient d'exposer.

Pour approfondir

Thèmes et prolongements

✤ Le « je » du narrateur et du lecteur

Nous venons de voir qu'une des conditions du fantastique consiste dans l'hésitation du lecteur. Celle-ci est souvent représentée à l'intérieur même de l'œuvre par un personnage qui s'interroge sur la nature des phénomènes auxquels il assiste. Le lecteur s'identifie à ce personnage narrateur. Il tisse avec cet être de fiction des liens souvent complexes.

Qui est le « je » des contes de Maupassant ?

Le narrateur est plus ou moins impliqué dans l'histoire. Il peut être un témoin direct comme le médecin du « Conte de Noël » qui présente les faits avec rigueur, sans exprimer de sentiment particulier. Dans le récit « Un fou ? », le narrateur est également un simple témoin, mais il a noué des liens d'amitié avec la victime et manifeste son émotion. Le conte « La chevelure » est plus complexe avec ses récits enchâssés. Pour le récit encadrant, le narrateur est une connaissance du médecin qui lui présente la nécrophilie comme un cas extrême de folie. La victime rapporte sa propre histoire dans le récit encadré. Le « je » a la même position dans « Le Horla », la « Lettre d'un fou » et « La Nuit ». Ces personnages narrateurs sont tous anonymes.

L'hésitation du lecteur est entretenue par le narrateur

Quand le narrateur est le témoin d'événements étranges, il est a priori parfaitement crédible puisqu'il n'est pas impliqué dans l'histoire. C'est d'autant plus vrai s'il s'agit d'un scientifique comme le médecin du « Conte de Noël ». Il sert de caution. Le lecteur peut avoir confiance en son jugement. Pourtant, ce narrateur personnage ne cesse de semer le trouble dans l'esprit du lecteur. Au début de son récit, le docteur Bonenfant annonce « J'ai vu un miracle ! ». On ne sait pas si ce médecin, qui a l'esprit rationnel, est sérieux ou ironique. À la fin, il dit avoir attesté ce miracle par écrit, mais il le fait « avec une voix contrariée ». Il laisse entendre d'autre part que

Pour approfondir

110

l'ostensoir, objet religieux, pourrait avoir plongé la femme du forgeron dans un sommeil hypnotique, comme le font les médecins qui soignent l'hystérie. Cette femme est-elle possédée par le diable ou sous l'emprise de la folie ? A-t-elle été guérie par un miracle pendant la messe de Noël ou par une séance d'hypnose ? Le narrateur hésite et le lecteur n'a pas la solution.

Le lecteur est encore davantage troublé quand plusieurs voix se font entendre. Le narrateur du récit encadrant dans « La Chevelure » observe tout d'abord un fou dans une maison de santé. Cet homme a visiblement un comportement de malade mental. Le médecin qui le soigne l'atteste. Il parle de « terribles accès de fureur », « folie érotique et macabre », « maladie de son esprit ». Mais pour le « fou », la morte revient réellement, il la voit, la touche, la possède, se promène avec elle. Qui est dans le vrai ? Le narrateur prend la chevelure dans ses mains et trouve son toucher « caressant et léger ». L'adjectif « caressant » est étonnant. Une femme peut être « caressante », c'est-à-dire enjôleuse, affectueuse, mais pas une chevelure dénuée de volonté. Le trouble du narrateur envahit le lecteur. Et que peut signifier la phrase finale du médecin : « L'esprit de l'homme est capable de tout » ? L'esprit peut-il créer des fantasmes étonnants ou ressusciter « réellement » les morts ?

Le narrateur du « Horla », comme celui de la « Lettre d'un fou » et de « La Nuit », est lui-même la victime d'événements qu'il ne comprend pas. Le lecteur s'identifie à ce « je » et ressent la peur avec lui. Il entre dans l'intimité de la conscience du héros. L'angoisse le saisit avec le sentiment aigu de l'approche de la folie. Et en même temps, il prend ses distances pour s'efforcer de juger. Il remarque que le narrateur a une démarche logique dans les expériences qu'il mène, qu'il raisonne de façon juste. Pourtant, son récit est invraisemblable. Est-ce celui d'un fou ou d'un homme doué de raison qui découvre l'improbable invasion d'un être invisible sur la terre ?

Pour approfondir

✤ Le temps et l'espace

> Maupassant donne à ses nouvelles fantastiques un cadre rigoureuse-
> ment réaliste. En effet, les héros évoluent dans un monde parfaitement
> normal. C'est une condition nécessaire pour croire aux événements
> invraisemblables qui se produisent et s'en effrayer. Le récit fantastique
> part donc de l'univers du lecteur que Maupassant, romancier natura-
> liste, présente par touches rapides et précises.

Les repères temporels

Maupassant donne à ses histoires un cadre temporel très rigoureux.
Un relevé de ces repères dans le « Conte de Noël » le montre clairement : « dès la fin de novembre... cela dura huit jours pleins... pendant trois semaines ensuite... quelque heures... avant la nuit... toute
la nuit... le lendemain... la Noël arriva... ». « Le Horla », qui est struc-
turé comme un journal, permet de préciser encore ces données :
« Vers dix heures, je monte dans ma chambre... Je dors – longtemps –
deux ou trois heures ». Le narrateur cherche visiblement à être minu-
tieux et le lecteur comprend que cette durée de « deux ou trois heures » de sommeil est exceptionnelle pour un insomniaque. L'histoire
se déroule donc dans une temporalité familière avec les saisons
habituelles, la période de Noël, la séparation du jour et de la nuit.

Les repères spatiaux

On ne trouve pas de cimetières ou de châteaux hantés dans les
contes de Maupassant. Les lieux où se déroulent les histoires sont
familiers au lecteur : la campagne normande, le mont Saint–Michel,
Paris. Ces endroits ne sont entachés d'aucun mystère. « Le Horla »
commence dans un décor paisible et heureux : « J'ai passé toute
la matinée étendu sur l'herbe, devant ma maison, sous l'énorme
platane qui la couvre, l'abrite et l'ombrage tout entière. » Ces lieux
sont souvent ouverts : la Seine passe dans la propriété du narrateur,
les personnages parcourent Paris avec bonheur. Le héros de « La
Chevelure » recherche des meubles anciens, celui du « Horla » va au

théâtre ou chez sa cousine. Quand l'espace se restreint, il devient plus inquiétant tout en restant parfaitement familier. C'est la chambre dans « Le Horla » ou « La Chevelure », la maison du narrateur de « Un fou ? ». Les descriptions qui en sont faites cherchent à donner l'illusion de la réalité afin que le lecteur se représente l'espace dans lequel se déroule l'histoire comme vrai.

La perte des repères

On entre dans l'univers fantastique quand, dans un monde parfaitement balisé, les repères du temps et de l'espace basculent.

Il est inquiétant par exemple que la conscience puisse gommer une portion du temps comme lorsque Madame Sablé ne se souvient pas être allée réclamer de l'argent à son cousin dans « Le Horla ». De manière plus étrange encore, le héros de « La nuit » voit le temps s'arrêter de façon inattendue et incompréhensible. Il s'interroge anxieusement et à plusieurs reprises : « Mais l'heure ? l'heure ? qui me dirait l'heure ? », puis prend conscience de l'arrêt des horloges de la ville, de sa propre montre. Elle cesse de battre, comme le ferait le cœur d'un mourant. L'arrêt du temps, c'est en effet la mort et son néant : « Plus rien, rien... Rien ! plus rien ! plus même le roulement lointain du fiacre, – plus rien ! » Le narrateur, perdu dans le temps, ne sait plus même quand l'événement a eu lieu : « Donc hier – était-ce hier ? » ni combien de temps il a duré : « Mais depuis quand la nuit dure-t-elle ? Depuis quand ? » Il s'interroge alors sur sa capacité à raconter cette histoire sans les repères de la temporalité, puisqu'il est perdu dans une nuit éternelle.

De même, l'espace perd parfois son aspect familier dans la conscience malade du personnage. Le narrateur du « Horla » part se promener dans la forêt de Roumare (située près de Rouen), et y voit les arbres danser, la terre flotter, incapable de retrouver son chemin dans un lieu qu'il connaît pourtant bien.

Maupassant s'attache donc à apporter des repères temporels et spatiaux précis pour donner au lecteur l'illusion du vrai avant de l'introduire dans l'univers fantastique.

Pour approfondir

✥ Les personnages des contes

Les contes de Maupassant font intervenir très peu de personnages, comme le veut la structure resserrée de la nouvelle. Le plus souvent, le héros est quasiment seul, accompagné d'un être étrange, invisible ou non. Tous ces héros sont presque interchangeables tant ils se ressemblent.

Un héros anonyme

On ne sait rien des héros des contes. Ils n'ont pas de nom, sauf le Jacques Parent de « Un fou ? », pas de caractéristiques physiques, pas de profession. Ils semblent par conséquent peu insérés dans la société. Mis à part pour le « Conte de Noël », ce sont des hommes qui vivent dans une certaine aisance. Ces caractères flous facilitent par ailleurs l'identification. Le nom de « Parent » incite de même le lecteur à trouver dans le personnage une certaine parenté avec lui.

Un être solitaire et cloîtré

Les héros vivent seuls, sans femme ni maîtresse, sans ami proche. Madame Sablé est une parente éloignée, et le narrateur, « ami » de Jacques Parent (« Un fou ? »), est bien trop effrayé par son comportement pour lui être véritablement attaché. Ils vivent cependant cet isolement comme un état apparemment heureux. Le héros de « La Chevelure » affirme au début de sa confession : « Jusqu'à l'âge de trente-deux ans, je vécus tranquille, sans amour. La vie m'apparaissait très simple, très bonne et très facile. » Cette solitude leur permet de vivre sans contrainte familiale ou sociale. Pourtant, ces héros sont comme cloîtrés dans leur univers. Le personnage de « La Chevelure » tourne dans Paris à la recherche d'un meuble ancien, celui du « Horla » est attaché à sa maison natale et il ne la quitte que pour y revenir, celui de la « Lettre d'un fou » ne quitte pas sa chambre.

Un être hypersensible et rationnel

Les héros expriment leur hypersensibilité dès le début du récit, avant même toute apparition d'événements étranges : « Comme j'ai pleuré, pendant des nuits entières, sur les pauvres femmes de jadis... » (« La Chevelure »), « J'aime la nuit avec passion... Je l'aime avec tous mes sens... » (« La Nuit »). Cette prédisposition est liée à leur claustration : ils sont centrés sur eux-mêmes et sur leurs désirs et rien ne les en détourne puisque les autres ne les intéressent pas. Paradoxalement, ces personnages ont en même temps un esprit rationnel et logique et n'acceptent pas facilement ce qu'ils ne peuvent pas comprendre. Ils ne sont pas du tout superstitieux, la femme du forgeron dans la « Nuit de Noël » mise à part. Le narrateur du « Horla » s'insurge contre l'idée qu'une rose puisse être cueillie par une main invisible : « Alors je fus pris d'une colère furieuse contre moi-même ; car il n'est pas permis à un homme raisonnable et sérieux d'avoir de pareilles hallucinations. » Le héros garde l'esprit lucide et il fait des expériences en mettant sur sa table de nuit des mets et des boissons diverses pour vérifier si ce qu'il perçoit par les sens vient de son imagination ou a bien une « réalité ».

« L'être », reflet du héros

Un jour, il arrive que le héros brise la clôture du monde dans lequel il vit. La femme du forgeron mange un œuf par hasard, le narrateur du « Horla » salue un bateau blanc sous l'effet d'une attirance soudaine, celui de « La Chevelure » ouvre un tiroir secret poussé par un vif désir. Un être invisible ou non apparaît alors : diable, Horla, ou femme fatale. Il peut être le double du personnage (« Le Horla »), l'objet de son angoisse (« Nuit de noël ») ou de son désir (« La Chevelure »). Le monde se referme alors sur le héros qui est pris au piège par cet être qui le hante. La seule issue à son angoisse est l'asile de fous (« La Chevelure », « Lettre d'un fou »), ou la mort (« Le Horla »).

Pour approfondir

Textes et images

✤ La folie et ses représentations

Au XIXe siècle, au moment où le public se passionne pour les récits fantastiques, se développe un intérêt nouveau pour la folie. Quelle image la littérature donne-t-elle du fou ? Personnage comique, pitoyable, tragique, dangereux, voire révélateur d'une vérité cachée, le fou est toujours celui qui se trouve en marge des normes sociales.

Documents :

❶ Shakespeare, *Hamlet* (1601). Acte IV, scène 5. Traduit de l'anglais par Henri Suhamy, Petits Classiques Larousse, 2004.

❷ Cervantès, *Don Quichotte* (1605). Traduit de l'espagnol par Louis Viardot, Grandes Œuvres Hachette, 1978.

❸ Gogol, « Le Journal d'un fou », *Nouvelles de Pétersbourg* (1835). Traduit du russe par Boris Schloezer, GF Flammarion, 1968.

❹ Goya, *Le Sommeil de la raison produit des monstres* (1797-1798). Dessin préparatoire aux « Caprices ».

❺ Edvard Munch, *Le Cri* (1893). Huile, détrempe et pastel sur carton.

❻ Shakespeare, *Hamlet*. Mise en scène d'Armel Roussel. Avec Sophie Sénécaut dans le rôle d'Ophélie. Théâtre de Gennevilliers, le 3 mars 2005.

❶

Ophélie.
Où est la bellissime majesté du Danemark ?
La reine.
Qu'y a-t-il, Ophélie ?
Ophélie, *chantant.*
Comment distinguerais-je votre fidèle amour
De quelque autre ?

Par la coquille de son chapeau et son bâton,
Et les sandales à ses pieds[1].

La reine.

Hélas, tendre demoiselle, que signifie cette chanson ?

Ophélie.

Vous dites ? Mais je vous prie, écoutez-moi plutôt :
Elle chante.
Il est mort et enterré, madame,
Il est mort et enterré ;
À sa tête une pelouse d'herbe verte,
À ses pieds une pierre.
Oh oh !

La reine.

Mais voyons, Ophélie...

Ophélie.

S'il vous plaît écoutez :
Elle chante.
Blanc son linceul comme neige de montagne...
Le Roi entre.

La reine.

Hélas, regardez ce que voici, monseigneur.

Ophélie, *chantant.*

Garni de fleurs suaves
Qui l'accompagnèrent à sa tombe sans être inondées
Par les averses de l'amour sincère.

Le roi.

Comment allez-vous, jolie demoiselle ?

Pour approfondir

---

1. **Par la coquille [...] à ses pieds :** l'amour et la religion se mêlent curieusement dans la chanson d'Ophélie, qui se réfère à un amoureux revenant d'un pèlerinage, la coquille, le bâton et les sandales en étant les signes.

Ophélie.

Bien, que Dieu vous récompense. On dit que la chouette était la fille d'un boulanger[1]. Seigneur, nous savons ce que nous sommes, mais ne savons pas ce que nous pouvons devenir. Que Dieu soit à votre table !

Le roi.

Elle songe à son père[2].

2 Sancho Pança restait, comme on dit, pendu à ses paroles, sans trouver moyen d'en placer une seule ; seulement, de temps à autre, il tournait la tête pour voir s'il apercevait les géants et les chevaliers que désignait son maître ; et comme il ne pouvait en découvrir aucun :

« Par ma foi ! seigneur, s'écria-t-il enfin, je me donne au diable, si homme, géant ou chevalier paraît de tous ceux que vous avez nommés là ; du moins, je n'en vois pas la queue d'un, et tout cela doit être des enchantements comme les fantômes d'hier soir.

– Comment peux-tu parler ainsi ? répondit don Quichotte ; n'entends-tu pas les hennissements des chevaux, le son des trompettes, le bruit des tambours ?

– Je n'entends rien autre chose, répliqua Sancho, sinon des bêlements d'agneaux et de brebis. »

Ce qui était parfaitement vrai, car les deux troupeaux s'étaient approchés assez près pour être entendus.

---

1. **On dit que la chouette était la fille d'un boulanger :** allusion à un conte populaire dont il existe plusieurs versions : la fille d'un boulanger qui refusa à Jésus un morceau de pain, ou qui ne lui donna qu'un morceau parcimonieux, fut transformée en chouette. Peut-être Ophélie regrette-t-elle d'avoir refusé son amour à Hamlet.
2. **Elle songe à son père :** Ophélie ne songe pas seulement à son père. Ses chansons tournent autour du Prince et de sa frustration amoureuse. Elle semble se sentir à la fois coupable d'avoir eu pour Hamlet un penchant jugé immoral, et de ne pas y avoir cédé.

– C'est la peur que tu as, reprit don Quichotte, qui te fait, Sancho, voir et entendre tout de travers ; car l'un des effets de cette triste passion est de troubler les sens, et de faire paraître les choses autrement qu'elles ne sont. [...]

En disant ces mots, il enfonce les éperons à Rossinante, et, la lance en arrêt, descend comme un foudre du haut de la colline. Sancho lui criait de toutes ses forces :

« Arrêtez ! seigneur don Quichotte, arrêtez ! je jure Dieu que ce sont des moutons et des brebis que vous allez attaquer. Revenez donc, par la vie du père qui m'a engendré. Quelle folie est-ce là ? »

3 L'an 2000, le 43 avril

C'est aujourd'hui le jour du plus grand des triomphes. L'Espagne a un roi. Il s'est retrouvé. Et ce roi, c'est moi.

C'est aujourd'hui seulement que je l'ai appris. J'avoue que ce fut comme si j'avais été illuminé soudain par un éclair. Je ne comprends pas comment j'avais pu croire et imaginer que j'étais conseiller titulaire.

Comment cette idée inepte, folle a-t-elle pu entrer dans ma tête ? Encore heureux que personne ne se soit avisé de m'enfermer dans une maison de fous. Maintenant tout m'est clair. Maintenant je vois tout comme sur ma main. Tandis qu'avant, je ne comprends pas bien pourquoi, avant, tout m'apparaissait comme à travers un brouillard. Et tout cela provient, je suppose, de ce que les hommes s'imaginent que le cerveau se trouve dans la tête. Pas du tout : c'est le vent qui souffle de la mer Caspienne qui nous l'apporte.

D'abord, j'annonçai à Mavra[1] qui j'étais. Lorsqu'elle entendit que le roi d'Espagne se tenait devant elle, elle leva les bras et faillit mourir de terreur : la sotte n'avait encore jamais vu de roi d'Espagne.

Pour approfondir

---

* Mavra est la servante du narrateur.

Textes et images

4

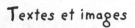

5

Pour approfondir

121

Textes et images

6

Pour approfondir

✥ Étude des textes

Savoir lire

1. Comment se manifeste la folie des personnages dans ces textes ? Vous penserez aux gestes, au comportement et aux propos incohérents qu'ils peuvent tenir.

2. Repérez dans chaque texte les réactions des personnages sains d'esprit devant la folie.

3. Quel est le registre du texte de Cervantès ? De celui de Shakespeare ?

4. Quelles ressemblances et quelles différences voyez-vous entre l'extrait du « Journal d'un fou » de Gogol et « Le Horla » de Maupassant ?

Savoir faire

5. Apprenez le passage extrait d'*Hamlet* de Shakespeare. Jouez la folie d'Ophélie. Réfléchissez aux intonations, aux attitudes d'Ophélie et aux réactions des autres personnages.

6. Mavra, la servante du narrateur du « Journal d'un fou », écrit une lettre à un destinataire que vous choisirez, pour lui raconter l'incident. Elle manifeste son inquiétude pour son maître.

7. Lisez *Hamlet* et cherchez un passage où un autre personnage se comporte comme un fou. Contrairement à Ophélie, il feint la folie. Expliquez pour quelles raisons.

✥ Étude des images

Savoir analyser

1. En quoi « Le Cri » d'Edvard Munch pourrait-il illustrer le conte du « Horla » ?
2. Qu'est-ce qui peut évoquer la folie dans le tableau de Goya ? Qu'est-ce qui peut faire penser à un cauchemar ?
3. Observez la photo de la mise en scène d'*Hamlet*. Comment se manifeste la folie d'Ophélie ? Quelle est l'attitude de l'autre personnage ?

Savoir faire

4. Imaginez un récit qui utilise tous les éléments du dessin de Goya.
5. Réalisez une nouvelle couverture pour *Le Horla et autres contes fantastiques* de Maupassant. Servez-vous des images que vous venez d'observer.
6. Pourquoi le personnage du tableau d'Edvard Munch crie-t-il ? Racontez une histoire qui pourrait l'expliquer. Vous tiendrez compte de tous les éléments de l'œuvre.

Pour approfondir

Textes et images

❖ La créature de Frankenstein et le Horla

Les nouvelles de Maupassant mettent en scène des personnages dont l'esprit malade crée des chimères qui n'ont de vie que dans leur imagination. D'autres écrivains du XIXᵉ siècle ont imaginé des créatures façonnées par des savants fous et qui prennent vie aux yeux de tous. Fantasmés ou « réels », ces personnages se ressemblent.

Documents :

❶ Hoffmann, *Contes fantastiques*, « L'Homme au sable » (1813). Traduit de l'allemand par Loève-Veimars, GF Flammarion, 1980.

❷ Mary Shelley, *Frankenstein* (1818). Traduit de l'anglais par Germain d'Hangest, GF Flammarion, 1979.

❸ R. L. Stevenson, *Docteur Jekyll et Mister Hyde* (1886). Traduit de l'anglais par Jean Muray, Le livre de poche, 1975.

❹ *Dr Jekyll and Mr Hyde*, film de Rouben Mamoulian (1932). Photographie de Fredric March.

❺ Jacques Offenbach, *Les Contes d'Hoffmann*. Mise en scène de Robert Carsen. Orchestre et chœurs de l'Opéra de Paris, Opéra Bastille, le 23 janvier 2007. Avec Jo Sumi (Olimpia) et Jean Christian (Spalanzani).

❻ *Frankenstein*, film de James Whale (1931).

❶ [Le héros, Nathanaël est tombé amoureux d'Olimpia avec qui il a dansé lors d'un bal. Il croit qu'elle est la fille du professeur Spalanzani. En réalité, c'est une automate.]

– Fais-moi un plaisir, frère, lui dit un jour Sigismond, dis-moi comment il se fait qu'un homme sensé comme toi, se soit épris de cette automate, de cette figure de cire ?

Nathanaël allait éclater, mais il se remit promptement et il lui répondit : – Dis-moi, Sigismond, comment il se fait que les charmes célestes d'Olimpia aient échappé à tes yeux clairvoyants ; à ton âme

Pour approfondir

124

ouverte à toutes les impressions du beau ! Mais je rends grâce au sort de ne t'avoir point pour rival, car il faudrait alors que l'un de nous tombât sanglant aux pieds de l'autre !

Sigismond vit bien où en était son ami ; il détourna adroitement le propos, et ajouta, après avoir dit qu'en amour on ne pouvait juger d'aucun objet : – Il est cependant singulier qu'un grand nombre de nous ait porté le même jugement sur Olimpia. Elle nous a semblé... – ne te fâche point, frère, – elle nous a semblé à tous sans vie et sans âme.

2 Je tressaillis et m'éveillai dans l'horreur ; une sueur froide me couvrait le front, mes dents claquaient, tous mes membres étaient convulsés : c'est alors qu'à la lumière incertaine et jaunâtre de la lune traversant les persiennes de ma fenêtre, j'aperçus le malheureux, le misérable monstre que j'avais créé. Il soulevait le rideau du lit ; et ses yeux, s'il est permis de les appeler ainsi, étaient fixés sur moi. Ses mâchoires s'ouvraient, et il marmottait des sons inarticulés, en même temps qu'une grimace ridait ses joues. Peut-être parla-t-il, mais je n'entendis rien ; l'une de ses mains était tendue, apparemment pour me retenir, mais je m'échappai et me précipitai en bas. Je me réfugiai dans la cour de la maison que j'habitais, et j'y restai tout le reste de la nuit, faisant les cent pas dans l'agitation la plus grande, écoutant attentivement, guettant et craignant chaque son, comme s'il devait m'annoncer l'approche du cadavre démoniaque à qui j'avais donné la vie de façon si misérable.

3 [Le docteur Jekyll a découvert une potion qui lui permet de se dissocier en deux êtres distincts : le bon et le méchant. Il observe pour la première fois dans un miroir son nouvel aspect.]

Étranger à ma propre maison, je me glissai le long des corridors et, pénétrant dans ma chambre, je découvris enfin dans ma psyché, l'aspect d'un nouveau venu dans ce monde : Edward Hyde.

Je ne puis exprimer ici que des suppositions théoriques et non des certitudes. J'avais mis de côté mes qualités et donné forme humaine

Textes et images

à mes défauts et à mes vices. Le résultat, tel qu'il se dessinait dans la psyché, était un homme à la silhouette rabougrie. L'effort, la vertu, le contrôle de soi avaient rempli les neuf dixièmes de mon existence. Edward Hyde n'avait pas subi les mêmes fatigues. De là, sa minceur, sa stature inférieure à la mienne et cette jeunesse qui m'avait fui depuis longtemps ; le bien brillait sur mon visage, tandis que le mal éclatait sur le sien... ce mal qui pour moi reste la face cachée de l'homme avait tordu des membres et imprimé sur son corps tout entier le sceau de la dégénérescence. Pourtant, quand je regardai dans le miroir sa vilaine image, je n'éprouvai aucune répugnance, mais plutôt un élan de sympathie. N'était-il pas une partie, peut-être l'exacte moitié de moi-même ?

4

6

❖ Étude des textes

Savoir lire

1. Quels sont les points communs entre les personnages de Hyde et de Frankenstein ? Quelle est la différence ?
2. Comment réagissent les personnages devant les créatures qu'ils ont fabriquées ou qu'ils côtoient.
3. Quels rapprochements pouvez-vous faire entre l'extrait de « L'Homme au sable » d'Hoffmann et « La Chevelure » de Maupassant ?

Savoir faire

4. Lisez « L'Homme au sable » (ou un autre des *Contes fantastiques* d'Hoffmann). Présentez cette nouvelle en classe. Montrez en quoi il s'agit de récits fantastiques.
5. Le docteur Jekyll rencontre la créature de Frankenstein un soir, dans une rue de Londres. Dès le lendemain, il renonce à son projet de dédoublement en Mr Hyde. Racontez.
6. Nathanaël a découvert qu'Olimpia est une automate. Il se rend chez le professeur Spalanzani. Imaginez l'entrevue entre les deux personnages.

❖ Étude des images

Savoir analyser

1. Montrez que la créature de Frankenstein est à la fois monstrueuse et humaine. Justifiez votre réponse.
2. Qu'y a-t-il de diabolique dans le personnage de Hyde ? Et dans celui du Dr Jekyll ?
3. Quel est l'intérêt du noir et blanc dans les photos des films qui vous sont présentées.

Savoir faire

4. Décrivez avec précision ce que voit la créature de Frankenstein à travers les feuillages. Il s'agit d'une description subjective.
5. Recherchez sur Internet d'autres photos de films sur le personnage de Frankenstein. Vous noterez les noms des réalisateurs, les titres des films, leur date. Choisissez deux photos que vous décrirez avec précision avant de justifier votre choix. Vous pouvez faire le même travail sur *Dr Jekyll and Mr Hyde*.
6. Imaginez le dialogue entre les deux personnages de *Dr Jekyll and Mr Hyde* à partir de la photo du film.

Pour approfondir

Vers le brevet

Questions

I - Le récit

1. Le narrateur est-il intérieur ou extérieur à l'histoire ? Justifiez votre réponse. À quel moment se manifeste-il ? Citez le passage.

2. Quel est le temps et la valeur du verbe « il enfonce » (p. 119, § 2) ? Trouvez dans le texte un verbe au même temps qui a une valeur différente.

3. « Sancho criait de toutes ses forces : "Arrêtez ! seigneur Don Quichotte, arrêtez ! Je jure Dieu que ce sont des moutons et des brebis que vous allez attaquer." »
   Mettez ce passage au discours indirect. Expliquez pourquoi l'usage du discours direct est intéressant dans tout l'extrait qui vous est donné.

II - Don Quichotte et Sancho Pança

1. Qui est Sancho Pança pour Don Quichotte ? Justifiez votre réponse.

2. Quel est le niveau de langue de Sancho Pança ? Citez des passages caractéristiques.

3. À quelle catégorie sociale appartient Don Quichotte ?

4. Relevez le champ lexical de la chevalerie dans ce passage.

5. Que représente le « en » dans l'expression « sans trouver le moyen d'en placer une » (p. 118, § 1) ?

6. Que révèle la première phrase du texte sur les relations entre les deux personnages ?

7. Dans le passage suivant : « Arrêtez [...] Quelle folie est-ce là ? » (dernier §), quel est le mode verbal utilisé par Sancho Pança ? Quels types de phrases emploie-t-il ? Que pensez-vous de la manière qu'a Sancho Pança de s'adresser à Don Quichotte ?

III - La folie

1. Qui a les sens troublés et voit les choses « autrement qu'elles ne sont » (p. 119, § 1) ? Est-ce Don Quichotte ou Sancho Pança ? Justifiez votre réponse en citant le texte.

2. Comment se manifeste la folie du personnage dans ses paroles d'une part et dans ses actions d'autre part ?

3. Est-ce la première fois que le personnage est atteint de folie ? Justifiez votre réponse en citant le texte.

4. Que signifie « enchantements » dans le sens où le mot est employé dans le texte (p. 118, § 2) ? Employez ce mot dans un autre sens et donnez-lui un synonyme. Trouvez un mot de la même famille et utilisez-le dans une phrase.

Réécriture

1. « Sancho Pança restait, comme on dit, pendu à ses paroles, sans trouver moyen d'en placer une seule ; seulement, de temps à autre, il tournait la tête pour voir s'il apercevait les géants et les chevaliers que désignait son maître » (p. 118, § 1).

Réécrivez ce passage au présent de l'indicatif, en remplaçant « Sancho Pança » par « les deux valets ». Vous effectuerez toutes les modifications qui s'imposent. Les fautes de copie seront pénalisées.

Rédaction

Le soir même, Sancho Pança fait le récit de l'aventure à l'auberge où il loge avec Don Quichotte. Il a un public animé de marchands et de bergers. Il raconte le combat que Don Quichotte a mené contre les moutons et les brebis. Vous en choisirez l'issue.

Vous respecterez la situation d'énonciation.
Le récit comportera une partie de dialogue.
Il sera rédigé au passé, mais le narrateur exprimera ses sentiments au présent.
Il sera tenu compte dans l'évaluation de la correction de la langue et de l'orthographe.

Petite méthode pour la rédaction

• Le présent évoque une action qui a lieu au moment de l'énonciation, dans un passé ou dans un futur proche : Je pars maintenant / Je reviens à l'instant / Je reviens demain.

• Il exprime l'habitude et la répétition : Je me promène souvent / Je vais au lycée tous les jours.

• Il énonce une vérité générale : La terre est ronde.

• Le présent de narration est utilisé dans un récit au passé pour mettre en valeur une action, l'actualiser : Nous passions dans une ruelle. Soudain la silhouette se retourne et nous fait face.

• Il peut servir à donner un ordre : « Tu fermes la porte maintenant. »

Questions

I - Un récit à la première personne

1. Relevez tous les indices de la présence du narrateur au début du texte, de « Je tressaillis » à « convulsés ». Vous les classerez en fonction de leur nature que vous indiquerez précisément.

2. Recopiez ce même passage (« Je tressaillis [...] convulsés »). Repérez les différentes propositions et délimitez-les par des traits verticaux. Dites si elles sont juxtaposées, coordonnées ou subordonnées.

3. Quels sont les deux temps les plus fréquemment utilisés dans cet extrait ? Donnez leur valeur respective en citant un exemple caractéristique pour chacun d'eux.

II - La créature de Frankenstein

1. Relevez les mots et les expressions qui désignent la créature. Donnez en même temps leur nature et leur fonction.

2. Déduisez de ce relevé les sentiments complexes du narrateur à l'égard de sa créature.

3. Quelles parties du corps de la créature sont mentionnées dans cet extrait ? Que nous apprend successivement chacune d'elles sur le personnage ?

4. Identifiez et nommez les deux éléments qui forment le mot « inarticulés » (l. 7-8), puis expliquez-le. Relevez les mots et les expressions qui manifestent l'incompréhension du narrateur à l'égard de sa créature.

III - La peur du narrateur

1. Comment se manifeste la peur du narrateur ? Relevez les expressions et expliquez quel est leur point commun.

Vers le brevet

2. Montrez que le moment où se déroule l'action contribue à la rendre effrayante. Vous tiendrez compte des adjectifs qui qualifient « la lumière ».

3. Trouvez trois synonymes du mot « peur » (vous pouvez vous aider du texte). Classez-les dans un ordre croissant. Vous mettrez le mot « peur » à la bonne place dans votre classement.

Réécriture

Réécrivez le passage suivant au style indirect :
« Je tressaillis et m'éveillai dans l'horreur ; une sueur froide me couvrait le front, mes dents claquaient, tous mes membres étaient convulsés : c'est alors qu'à la lumière incertaine et jaunâtre de la lune traversant les persiennes de ma fenêtre, j'aperçus le malheureux, le misérable monstre que j'avais créé. »
Vous commencerez votre phrase par : « Frankenstein raconta... »
Vous effectuerez toutes les modifications qui s'imposent. Les fautes de copie seront pénalisées.

Rédaction

Le monstre écrit une lettre à Frankenstein pour lui dire ce qu'il n'avait pu exprimer cette nuit-là en venant le voir dans sa chambre. Il lui raconte ensuite ce qui lui est arrivé après avoir quitté la maison où il est « né ». Dans la conclusion, vous choisirez s'il accuse son créateur ou s'il désire lui rendre hommage.

Vous respecterez la situation d'énonciation.
Votre texte adoptera toutes les caractéristiques de l'écriture d'une lettre.
Vous devrez être attentifs aux indices qui vous sont donnés par le texte de Mary Shelley.

La conclusion sera la conséquence logique des événements que vous aurez imaginés et des sentiments que le monstre aura déjà exprimés.

Il sera tenu compte dans l'évaluation de la correction de la langue et de l'orthographe.

Petite méthode pour la rédaction

La phrase simple comporte une proposition.

La phrase complexe en comporte plusieurs.

Ces propositions peuvent être :

- **juxtaposées** : elles sont séparées par une ponctuation (virgule, point-virgule, deux-points). Je trouvai l'escalier, / je descendis.

- **coordonnées** : elles sont liées par une conjonction de coordination (or, mais, ou, car, ni, et). Je tirai ma montre / mais elle s'était arrêtée.

- **subordonnées** : reliées par un subordonnant (puisque, quand, lorsque, si bien que...), ou par un pronom relatif (qui, que, dont, où...). Une joie confuse m'envahit / quand le jour baisse. J'aime le hibou / qui fuit dans la nuit.

Sujet 3 : *Le Horla*, Maupassant, 6 août, p. 39.

Questions

I - Un journal

1. Que sait-on du moment et du lieu de l'énonciation ? Justifiez votre réponse en citant des passages du texte.

2. Relevez les indices de présence du narrateur. À qui s'adresse-t-il ? Expliquez l'emploi de la première personne du pluriel dans le groupe nominal « nos sens » (l. 524).

3. Expliquez l'alternance du présent et des temps du passé. Vous donnerez des exemples pour justifier votre réponse.

II - L'expression des sentiments

1. Quel rôle joue la ponctuation du texte dans l'expression des sentiments du narrateur ?

2. Quelles sont les figures de style présentes dans les énoncés suivants : « J'ai vu... j'ai vu... j'ai vu ! » ; « j'ai encore froid jusque dans les ongles » ; « certain comme de l'alternance des jours et des nuits » ? Expliquez pour chaque énoncé le rôle de la figure utilisée.

3. Quels sont les sentiments exprimés par le narrateur ? Justifiez votre réponse.

III - Le fantastique

1. Expliquez l'expression « effrayante tache rouge » (l. 510).

2. Identifiez et nommez les trois éléments qui forment le mot « imperceptible » (l. 523). Donnez le sens de ce mot.

3. Justifiez l'emploi des formes verbales suivantes : « l'eût tordue » (l. 507) ; l'eût cueillie » (l. 507) ; « aurait décrite » (l. 508).

4. Le lecteur hésite entre deux solutions pour expliquer ce que le narrateur a perçu. Quelles sont-elles ? Justifiez votre réponse en citant le texte. Montrez que le narrateur lui-même manifeste une certaine hésitation.

Réécriture

Réécrivez le dernier paragraphe de l'extrait (« Alors, je rentrai chez moi » à « sous mon toit », l. 519-524), en mettant le pronom « ils » à la place du pronom « je ».
Vous effectuerez toutes les modifications qui s'imposent. Les fautes de copie seront pénalisées.

Rédaction

Écrivez une page de votre journal qui commencera par : « 6 *août*. – Cette fois, je ne suis pas fou. J'ai vu... j'ai vu... j'ai vu ! »
Vous raconterez une histoire en conformité avec ce début. Vous prendrez soin d'exprimer vos sentiments. Votre récit sera fantastique ou non, à votre choix.

Petite méthode pour la rédaction

Les mots simples viennent le plus souvent du latin ou du grec.

Dans beaucoup de **mots construits**, on distingue la base, le préfixe qui précède la base et le suffixe qui la suit.

Le préfixe change le sens du mot et ne modifie pas sa catégorie grammaticale : accessible / inaccessible.

Le suffixe change le sens du mot et commande sa catégorie grammaticale : continu / continuation / continuel / continuer / continuité...

Un mot composé est construit à partir d'éléments de plusieurs mots : psycho / logue.

Un mot-valise est la fusion de deux mots : franglais.

Vers le brevet

✣ Autres sujets d'entraînement

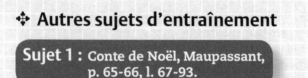

Sujet 1 : Conte de Noël, Maupassant, p. 65-66, l. 67-93.

1. Caractérisez le langage des deux personnages. Expliquez les écarts par rapport au langage courant en donnant quelques exemples.

2. Montrez que l'œuf provoque l'étonnement du forgeron et de sa femme. Pour quelle raison ?

3. Comment se manifeste l'inquiétude de la femme du forgeron ?

Sujet 2 : La Chevelure, Maupassant, p. 73 l. 39-60.

1. La montre est décrite comme une personne. Relevez les termes qui le prouvent.

2. Quels rôles jouent l'exclamation et l'interrogation dans le texte ?

3. Relevez les expressions et les mots qui montrent que le narrateur fait revivre en imagination la femme morte.

Vers le brevet

Outils de lecture

Anaphore : répétition d'un mot ou d'un groupe de mots en début de phrase, de vers ou à la même place dans une phrase (avant ou après la virgule par exemple).

Antithèse : figure de style qui établit une opposition entre deux idées.

Champ lexical : ensemble de mots qui se rapportent à une même idée.

Champ sémantique : ensemble des sens d'un mot dans le dictionnaire ou dans un texte (que ce soit par dénotation ou par connotation). Les notions de champ lexical et de champ sémantique étant très liées, on parle souvent de champ lexico-sémantique. Cette notion est importante pour analyser un texte car elle permet de dégager les thèmes principaux.

Comparaison : figure qui met en relation un terme (le comparé) avec un autre terme (le comparant) appartenant à deux champs de la réalité différents. Ces deux termes sont rapprochés parce qu'ils comportent des points communs. Le rapprochement est opéré explicitement par un outil de comparaison.

Connecteur logique : conjonction de coordination et/ou adverbe qui marquent les relations logiques entre les idées.

Connotation et dénotation : la dénotation est le sens objectif d'un mot, tel qu'il est donné dans le dictionnaire. La connotation est le sens subjectif d'un mot, sa valeur affective ou culturelle. Elle est variable en fonction du contexte.

Description subjective : description dans laquelle l'énonciateur se révèle dans sa subjectivité. Il laisse des traces de son affectivité, de son appréciation méliorative ou péjorative, de sa volonté.

Ellipse : dans un récit, c'est une partie de l'histoire qui n'est pas racontée.

Énonciation : on appelle énonciation tout acte de langage. L'énoncé est le produit linguistique de cet acte. L'énonciateur est celui qui produit l'énoncé. Les indices d'énonciation sont les termes qui désignent le locuteur, l'interlocuteur et le repérage spatio-temporel.

Outils de lecture

Hyperbole : c'est l'ensemble des procédés d'exagération. Il s'agit d'augmenter ou de diminuer excessivement la réalité que l'on veut exprimer.

Implicite, explicite : ce qui est dit de manière non cachée est explicite. Ce qui est dit de manière indirecte est implicite.

Locuteur : c'est un être fictif qui prend la responsabilité de l'énonciation (figure du poète dans un texte poétique, du narrateur dans un récit, du personnage dans une pièce de théâtre).

Maxime : c'est une formule à la fois brève et frappante qui énonce un précepte moral ou une vérité psychologique.

Métaphore : c'est une comparaison sans outil de comparaison pour opérer le rapprochement entre le comparé et le comparant.

Naturalisme : mouvement littéraire de la deuxième moitié du XIXe siècle, mené par Zola dans la continuité du réalisme. Les écrivains naturalistes s'appuient sur des bases scientifiques pour donner une image exacte de l'homme et de la société.

Oxymore : figure qui consiste à accoler deux termes apparemment contradictoires dans un même groupe de mots.

Point de vue ou focalisation : désigne la manière dont le narrateur donne à voir au lecteur les événements qu'il rapporte. La focalisation est interne quand la vision est subjective, limitée à un seul personnage. La focalisation est externe quand la vision est objective, comme celle d'un témoin qui observe les événements de l'extérieur ou comme celle d'une caméra. La focalisation zéro est le point de vue d'un narrateur omniscient.

Réalisme : courant littéraire et artistique qui se développe à partir de 1850. Les auteurs réalistes veulent donner une image fidèle de la réalité sans chercher à l'embellir. Leur travail s'appuie sur une documentation.

Bibliographie et filmographie

Autres œuvres de Maupassant

Romans
Une vie, 1883.
> ◗ Raconte la vie décevante en province d'une femme mal mariée.

Bel-Ami, 1885.
> ◗ Le roman raconte l'ascension d'un journaliste sans talent et sans scrupules. C'est l'occasion pour Maupassant de donner un tableau satirique de la société parisienne et de la presse.

Pierre et Jean, 1888.
> ◗ Un ami de la famille offre à l'un des deux frères un héritage important, laissant l'autre sans rien. Un drame intime se déclenche qui conduit Pierre et Jean à s'interroger sur leur naissance.

Nouvelles
Maupassant a écrit de nombreux recueils de nouvelles parmi lesquels on peut citer :

Boule de suif, 1880.
La Maison Tellier, 1881.
Miss Harriet, 1884.
Contes du jour et de la nuit, 1885.
Le Rosier de Madame Husson, 1888.

Maupassant au cinéma
Diary of a Madman (L'Étrange Histoire du juge Cordier).
Réalisation de Reginald Le Borg, 1962. Interprètes : Vincent Price, Nancy Kovack, Chris Warfield, Blaine Devry. Le film est inspiré de la nouvelle du « Horla »

Œuvres sur le même thème

Le thème du double
Amphitryon, Molière, 1668.
> ◗ Zeus est amoureux d'Alcmène, fidèle à son mari Amphitryon. Il prend l'apparence du mari et engendre Héraclès.

Les Élixirs du diable, Hoffmann, 1816.
> ◗ Un moine commet des crimes et rencontre son double exact.

Bibliographie et filmographie

Le Cas étrange du Dr Jekyll et de Mr Hyde, Stevenson, 1886.
> ▶ Mr Hyde est le double et l'opposé du Dr Jekyll. Il incarne ses pulsions les plus infâmes.

Le Portrait de Dorian Gray, Oscar Wilde, 1891.
> ▶ Dorian Gray, le héros, possède un portrait qui lui épargne les stigmates de ses vices et de la vieillesse.

Le thème au cinéma
Le Portrait de Dorian Gray (1945), film d'Albert Lewin en noir et blanc à l'exception de quelques plans du tableau en couleur. Interprètes : George Sanders, Hurd Hatfield, Donna Reed.
Dans la peau de John Malkovich (1999), film réalisé par Spike Jonze. Interprètes : John Cusack, Cameron Diaz, Catherine Keener.
> ▶ Le personnage principal a découvert le secret pour rentrer dans la peau de John Malkovich et il décide d'y rester.

Le thème de la folie
Journal d'un fou, Gogol, 1835.
> ▶ Un petit fonctionnaire de ministère sombre peu à peu dans la folie.

Aurélia, Nerval, 1855.
> ▶ Aurélia est un récit de folie, relaté à la demande de son médecin.

Amok, Stefan Zweig, 1922.
> ▶ Le narrateur, passager d'un bateau en provenance d'Asie, reçoit une étrange confidence.

Le thème au cinéma
Un homme d'exception (2002), un film de Ron Howard avec Russell Crowe, Ed Harris, Jennifer Connelly.
> ▶ John Forbes Nash, brillant mathématicien est employé par un homme mystérieux. Il doit découvrir des codes secrets et est surveillé par des espions russes. Personne ne le croit et on le dit fou.

Crédits photographiques

Direction de la collection : CARINE GIRAC - MARINIER

Édition : Marie-Hélène CHRISTENSEN

Lecture-correction : service lecture-correction LAROUSSE

Recherche iconographique : Valérie PERRIN, Marie-Annick REVEILLON

Direction artistique : Uli MEINDL

Couverture et maquette intérieure : Serge CORTESI, Sophie RIVOIRE, Uli MEINDL

Responsable de fabrication : Marlène DELBEKEN

Photocomposition : CGI
Impression : Rotolito Lombarda (Italie)
Dépôt légal : Août 2008 – 301606
N° Projet : 11013235 – Octobre 2010